KB082265

국민대학교 문화교차연구소
스피노자 윤리학 연구총서 4

감정의 예속과 자유

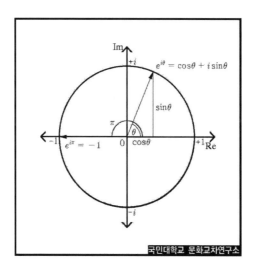

국민대학교 문화교차연구소
스피노자 윤리학 연구총서 4

감정의 예속과 자유

발 행 | 2024년 1월 9일
저 자 | 성동권
펴낸이 | 한건희
펴낸곳 | 주식회사 부크크
출판사등록 | 2014.07.15.(제2014-16호)
주 소 | 서울특별시 금천구 가산디지털1로 119 SK트윈타워 A동 305호
전 화 | 1670-8316
이메일 | info@bookk.co.kr

ISBN | 979-11-410-6596-6

www.bookk.co.kr

국민대학교 문화교차연구소
스피노자 윤리학 연구총서 4

감정의 예속과 자유

성동권

국민대학교 문화교차연구소
스피노자 윤리학 연구총서 4

「 감정의 예속과 자유 」

목 차

스피노자 에티카 4부 서문

스피노자 에티카 4부 정의

스피노자 에티카 4부 공리

스피노자 에티카 4부 정리

서문 1: 나의 벗에게 드리는 편지

이 책은 스피노자의 『윤리학』 「4부」 《인간의 예속 또는 정서의 힘에 대하여》를 감정과학으로 연구한 것입니다. 국민대학교 문화교차 연구소의 스피노자 윤리학 연구총서 제3권에 이어서 제4권을 세상에 내놓습니다. 이 총서 시리즈의 서문에서 언급한 바와 같이, 이 책 또한 '나의 벗'을 위한 책입니다. 내가 알지 못하는 많은 사람들이 스피노자의 『윤리학』을 쉽게 이해할 수 있도록 돕는 해설서 내지는 교양서가 아닙니다. 이 책은 오직 나의 벗을 위한 것이며, 나의 벗이 외롭지 않도록 위로하기 위한 것입니다. 따라서 이 책을 통해서 스피노자의 『윤리학』, 그리고 더 나아가 스피노자의 철학을 쉽게 이해하려는 독자들은 크게 실망할 수도 있습니다.

오직 '나의 벗'만이 이 책을 즐겁게 읽을 수 있습니다. 스피노자의 『윤리학』을 자기 삶으로 진지하게 배우고 이해하는 나의 벗은 너무나 명백하게도 스피노자의 학문론이 감정에 대한 타당한 인식을 추구하는 '감정과학'(Science of Feelings)이라는 사실을 이해합니다. 나의 벗은 감정을 느끼며 감정으로 살아가는 자신의 삶을 위해서 스피노자의 가르침을 배웁니다. 나의 벗은 스피노자와 함께 자기가 느끼며 경험하는 감정을 올바르게 이해하며, 이 이해를 따라서 자기의 삶을 정답게 살아갑니다.

그러나 세상을 향해 목에 힘을 주며 자신을 스피노자 연구의 최고 권위자로 내세우는 대다수 학자들은 스피노자의 감정과학을 외면하거나 부정합니다. 스피노자의 윤리학이 감정 그 자체에 고유한 본성을 영원무한의 필연성으로 배우는데 있다는 사실을 거부합니다. 그들에게 스피노자의 철학은 어떤 목적을 위한 수단에 불과하며, 그러한 한에서 그들은 사실상 스피노자의 철학을 전문적으로 판매하는 최고의 장사꾼에 지나지 않습니다. 보다 근본적으로 그들은 감정으로 살아가는 자기의 삶으로 스피노자의 철학을 공부하지 않습니다. 그들에게 스피노자의 철학은 무엇인지 궁금합니다.

이 책은 감정으로 살아가는 자기의 인생으로 스피노자를 이해하고 그것으로 다시 자기 삶을 정답게 살아가는 나의 벗을 위한 것입니다. 엄격히 말해서 스피노자를 알고 싶은 것이 아니라 스피노자와 함께 감정에 대한 참다운 이해를 추구하는 나의 벗을 위한 것입니다. 그러므로 이 책은 스피노자의 『윤리학』을 자신의 화려한 진열대 위에 늘어놓은 수많은 약 가운데 하나로 판매하는 판매자와 그 약을 구매하러 달려가는 수많은 소비자를 위한 책이 아닙니다.

나의 벗이 외롭지 않도록,
오직 나의 벗을 위해서 이 책을 바칩니다.

국민대학교 문화교차연구소장
성동권 올림.

서문 2: 감정과학으로서 스피노자의 윤리학

감정

감정은 몸과 마음으로 생겨나서 몸과 마음으로 살아가는 '나'의 진실입니다. '나'는 단 하나이며, '나'는 몸과 마음으로 존재하기 때문에 나의 몸이 변화하면 나의 마음도 그와 동시에 변화합니다. 그런데 마음은 생각하는 것이므로 생각의 결과 구체적인 관념을 형성합니다. 우리는 이것으로 마음의 변화가 무엇인지 이해할 수 있습니다. 마음의 변화란 몸의 변화에 대해서 구체적인 관념을 형성하는 것입니다. 이 관념을 '감정'이라고 정의합니다. 따라서 감정은 서로 다른 몸과 마음이 본래 하나라는 사실을 증명합니다.

단 하나로 존재하는 '나'는 서로 다른 몸과 마음으로 구성되어 있습니다. 이 사실에 근거하여 몸이 변화하면 당연히 마음도 변화해야 합니다. 그렇지 않으면 '단 하나'로 존재하는 '나'는 서로 다른 몸과 마음으로 분열되어 '두 개'의 존재가 됩니다. 이것이 얼마나 터무니없는 것인지는 뜻밖에 서로 다른 몸과 마음이 본래 하나라는 사실을 증명하는 감정에 의해서 증명됩니다. 나의 몸이 배고픔을 '느낄 때'(변화할 때), 이와 정반대로 나의 마음은 배부름을 '느낄 수'(변화할 수) 있을까요? 서로 다른 몸과 마음은 본래 하나입니다.

서로 다른 몸과 마음으로 생겨나서 지금 현재를 살아가고 있는 '나'는 '감정'입니다. '감정'을 떠나서 '나'의 존재가 없습니다. 그런데 이 진실은 지금 '나'만의 진실이 아닙니다. 몸과 마음으로 생겨나서 살아가는 우리 모두를 비롯해서 자연의 천지만물에 고유한 진실입니다. 엄격히 말해서 몸으로 생겨나서 몸으로 살아가는 모든 것은 감정으로 존재합니다. 그리고 그 모든 것은 자신의 감정을 특정 언어나 소리 또는 표정으로 표현합니다. 따라서 몸으로 살아가는 것은 마음으로도 살아갑니다.

몸으로 존재하는 것은 마음으로 존재하며, 이 존재는 사실상 감정입니다. 이 진실로부터 '자연이 곧 감정'이라는 결론이 나옵니다. 이 결론에 근거하여 인간은 반드시 감정을 배워서 이해해야 합니다. 그것이 인간에 대한 이해이며, 인간이 모여서 이룬 문명에 대한 이해이며, 인간이 살아가는 자연에 대한 이해입니다. 감정으로 존재하는 인간이며 감정으로 살아가는 인간입니다. 동시에 자연을 구성하는 천지만물에 공통된 진리입니다. 따라서 감정을 떠나서 인간이 배울 것이 따로 없습니다.

감정과학

학문의 기초는 감정입니다. 감정을 이해하지 못한 인간은 그 어떤 학문도 올바르게 할 수 없습니다. 학문을 담당하는 연구자 자신도 감정으로 존재하며, 연구자가 연구하는 대상도 감정으로 존재합니다. 감정을 이해하지 않으면 연구자 자신을 이해할 수 없게 되며, 궁극적으로 연구 대상에 대해서도 이해할 수 없게 됩니다. 따라서 학문의 기초는 감정이며, 감정에 대한 타당한 인식이 학문의 성공을 결정하는 방법입니다.

인간의 학문이 감정에 대한 타당한 인식에 있다는 학문론이 '감정과학'(Science of Feelings)입니다. 여기에서 중요한 키워드는 '과학'입니다. 과학에서 가장 중요한 것은 무엇일까요? 원인과 결과의 필연성입니다. 이 필연성을 향한 명석판명의 이해가 과학입니다. 이것을 부정하면 과학은 성립할 수 없습니다. 과학은 현상에 대한 추측이나 해석이 아닙니다. 이런 방식으로 학문을 하면 학문은 절대 발전할 수 없습니다. 오히려 학문은 반드시 타락하며, 온갖 미신과 종교적 사기꾼들을 양상하게 됩니다.

예를 들어서 내가 길을 걷고 있는데 머리에 기와가 떨어져서 죽게 되었다고 상상해 봅시다. 기와가 머리 위에 떨어지면 머리가 부서지고, 그 결과 죽게 됩니다. 이 경우 인과의 필연성을 배우는 사람은 기와가 왜 떨어지게 되었는지 이해하고, 앞으로 절대 그런 일이 발생하지 않도록 방법을 찾아냅니다. 그러나 이와 반대로 '왜 머리 위에 기와가 떨어지게 되었을까요?' '왜 나는 그 기와 밑을 걸었을까요?'라는 질문을 할 수 있습니다. 이 질문은 결국 인간이 알 수 없는 어떤 절대자가 그 모든 일을 계획(목적)했다는 결론에 도달할 때까지 멈추지 않습니다. 여기에서 미신과 거짓말쟁이들이 쏟아집니다.

인간의 행복과 인간이 이룬 문명의 번영은 인과의 필연성을 인식하는 과학에 근거해야 합니다. 그렇지 않으면 거짓과 불행의 길을 걷게 됩니다. 감정에 대한 이해도 인과의 필연성을 인식하는 과학에 근거해야 한다는 것이 감정과학입니다. 감정은 몸이 변화한 결과이며 변화에는 그에 고유한 인과의 필연성이 존재합니다. 왜냐하면 변화라는 말은 변화의 결과를 수반하므로, 결과의 존재로부터 원인의 존재가 영원의 필연성이기 때문입니다. 따라서 감정과학은 당연합니다.

감정과학으로서 스피노자의 『윤리학』

스피노자에 의하면 감정에 대한 과학적 탐구로서 '감정과학'은 감정에 대한 정의로부터 지극히 당연합니다. 감정은 몸의 변화이며 이 변화와 동시에 이루어지는 마음의 변화로서 변화에 대한 관념의 형성입니다. 여기에서 핵심은 '몸의 변화'입니다. 서로 다른 몸과 마음은 단 하나로 존재하는 '나'를 구성하는 것이지만, 변화에 관한 한 몸의 변화와 함께 마음의 변화입니다. 마음의 변화와 함께 몸의 변화가 아닙니다. 감정은 서로 다른 몸과 마음이 본래 하나라는 사실을 증명하지만, 엄격히 말해서 감정은 '몸의 변화'입니다.

앞에서 잠깐 언급한 바와 같이 '변화'(감정)는 어떤 원인에 의해서 발생하는 결과입니다. 변화(감정)는 원인에 대한 결과이기 때문에, 변화(감정)의 존재는 필연적으로 원인의 존재를 증명합니다. 이것이 첫 번째 논점입니다. 다음으로 변화로서 감정은 몸의 변화입니다. 그렇다면 몸의 변화로서 감정을 '인과의 필연성'으로 이해할 때, 무엇보다도 몸의 본성을 이해하는 것이 매우 중요합니다. 왜냐하면 몸의 변화가 감정이기 때문에 몸의 본성이 인과의 필연성을 따른다면, 당연히 몸의 변화도 인과의 필연성을 따를 것이며, 결과적으로 감정 또한 인과의 필연성에 의한 변화의 결과이기 때문입니다.

감정이 인과의 필연성으로 존재한다면, 감정과학은 당연히 성립합니다. 몸의 변화로 존재하는 감정이 인과의 필연성에 의한 결과라는 사실이 분명하면, 우리는 감정을 믿고 배울 수 있습니다. 인과의 필연성으로 존재하는 것이라면 당연히 인과의 필연성으로 이해할 수 있습니다. 그러나 이 사실이 분명하지 않거나 심지어 감정이 인과의 필연성을 부정하는 우연과 확률이라면, 우리는 감정을 믿을 수 없으며 당연히 감정과학은 성립할 수 없습니다.

감정이 몸의 변화라는 사실에 근거하여 감정과학의 성립 근거는 몸의 본성에 대한 탐구로 전개됩니다. 지금 '나'의 몸은 내가 만든 것이 아니므로 당연히 원인에 의한 결과입니다. 이 원인을 우리는 '엄마아빠'라고 부릅니다. '엄마아빠'는 어떻습니까? 당연히 엄마아빠의 '엄마아빠'에 의한 결과입니다. 이런 식으로 지금 존재하는 내 몸에 나아가 인과의 필연성을 확인하면, 영원무한하게 엄마아빠의 존재를 확인하기 때문에 이에 비례하여 엄마아빠의 존재는 영원무한의 필연성으로 확인됩니다.

이 사실 확인에 근거하여 지금 내 몸은 영원무한의 필연성으로 존재하는 엄마아빠에 의해서 영원무한의 필연성으로 존재하도록 결정되었다는 결론이 필연적으로 나옵니다. 영원무한의 필연성은 자기 존재에 관하여도 영원무한의 필연성이기 때문에 자기 활동에 관하여도 당연히 영원무한의 필연성 안에 있습니다. 이 존재로부터 지금 나의 몸이 존재한다면, 나의 존재 또한 영원무한의 필연성에 의해서 존재하도록 결정됩니다. 그런데 영원무한의 필연성을 이해하는 기초는 지금 나의 몸이기 때문에 영원무한의 필연성으로 존재하는 엄마아빠도 당연히 몸으로 존재합니다.

영원무한의 필연성으로 존재하는 것은 몸으로 존재합니다. 그리고 이 존재는 마음으로도 존재합니다. 왜냐하면 몸이 존재한다는 사실을 마음이 자신의 생각으로 확인하기 때문입니다. 이 진리는 우리 스스로 우리 자신의 몸에 대해서 생각해 보면 쉽게 이해할 수 있습니다. 몸이 있다는 것은 마음도 있다는 것이므로 영원무한의 필연성은 몸과 마음으로 존재합니다. 이것을 스피노자는 단 하나의 실체로서 '신', 그리고 신을 구성하는 서로 다른 '속성'으로 정의합니다. 그렇기 때문에 신의 몸도 영원무한의 필연성으로 존재하며, 당연히 신의 마음도 영원무한의 필연성으로 존재합니다. 이 존재로부터 지금 나의 몸과 마음이 존재하기 때문에 나의 몸과 마음도 영원무한의 필연성으로 존재하며 활동합니다.

내 몸의 존재와 활동에 관하여 그에 고유한 본성이 영원무한의 필연성이라면, 몸의 변화로서 감정도 당연히 영원무한의 필연성으로 존재합니다. 이 주제는 보다 적극적으로 이해할 수 있습니다. 영원무한의 필연성으로 존재하는 신이 몸과 마음으로 존재한다는 사실로부터 신의 존재가 사실상 감정입니다. 이 사실로부터 지금 내가 느끼는 감정도 당연히 신의 감정에서 유래합니다. 그런데 신의 감정은 영원무한의 필연성으로 존재하기 때문에 이 감정에서 유래하는 지금 나의 감정도 영원무한의 필연성으로 존재합니다. 마침내 감정과학의 성립 근거가 분명히 드러났습니다.

그러므로 신의 존재와 본성을 영원무한의 필연성으로 인식하며, 이 존재를 구성하는 속성으로서 몸과 마음을 영원무한의 필연성으로 인식하는 스피노자의 『윤리학』은 당연히 감정에 대한 타당한 인식을 추구하는 감정과학입니다. 이번에 우리가 공부하는 윤리학 〖4부〗에 대한 감정과학의 연구는 『감정의 예속과 자유』입니다. 감정을 느끼며 살아가는 우리 자신이 감정에 대한 타당한 이해를 함과 동시에 감정의 진실을 느끼면 자유이지만, 그렇지 않으면 예속이라는 것이 이번 공부의 핵심입니다. 신은 감정으로 존재하기 때문에 우리가 매일 느끼며 경험하는 감정이 신의 존재를 증명합니다. 이 이해를 형성하는 것이 인간 마음의 능력입니다. 그렇기 때문에 우리의 마음이 자기 본래의 능력에 충실하여 감정에 대해서 타당하게 이해하면 자유이지만, 그렇지 않으면 예속입니다.

서문 3: '참고문헌'에 관하여

스피노자의 『윤리학』은 '기하학적 질서' 위에 존재합니다. 기하학적 질서란, 생각하는 마음이 자기 안에서 자기 스스로 생각함으로써 영원의 완전성과 능동성으로 자명(自明)한 이해를 형성하고, 다시 이 이해에 근거하여 영원의 완전성과 능동성으로 자명한 이해를 새롭게 형성해 나아가는 것입니다. 이때 마음은 절대적으로 자기 아닌 다른 것에 의존해서는 안 됩니다. 이러한 기하학적 질서의 필연성이 스피노자의 『윤리학』에 고유한 '장르'(genre)입니다. 그렇기 때문에 스피노자의 『윤리학』을 연구하는 사람은 '장르분석'에 의하여 기하학적 질서를 자신의 연구방법으로 채택해야 합니다. 사실상 이 방법이 연구의 완전성을 확보하는 가장 확실한 방법입니다. 따라서 저자에게 '참고문헌'을 요구하는 독자가 있다면, 그 자신 스스로 스피노자의 『윤리학』에 고유한 장르를 분명히 이해하지 못한 것입니다.

자기 스스로 자기 감정을 이해하는 자기 마음의 정신력이 스피노자의 연구방법입니다. 스피노자의 『윤리학』에서 참고문헌은 자기의 감정이며, 자기의 감정에 대한 자기이해가 참고문헌에 대한 이해입니다. 이 이해로 감정에 대한 타당한 인식을 확인하는 것이 스피노자의 감정과학입니다.

끝으로 본 연구총서가 참고한 번역서를 소개합니다.

⑴ *Ethics*, trans. Edwin Curley, Penguin Books, 1996.

⑵ *Ethics*, trans. Samuel Shirley, Hackett, 1992.

⑶ 에티카, 강영계 역, 서광사, 2007.

스피노자 에티카 4부 서문

제4부 서문: 인간의 예속

감정의 조절과 통제에 관하여 인간의 무능력을 나는 '예속'이라고 정의한다. 자신의 감정에 사로잡힌 인간은 감정의 주인이 아니라 운세 같은 우연성이나 외부 원인에 자신을 맡기며 그런 것에 의해서 자기의 감정이 결정되었다고 타당하지 못하게 이해한다. 그 결과 자신에게 진실로 좋은 것이 무엇인지 보면서도 뜻밖에 더 나쁜 것을 쫓아가는 충동에 빠진다.

분석

이번에 우리가 공부하는 주제는 스피노자의 『에티카』 〖4부〗의 '서문'입니다. 그리고 책의 제목을 통해서도 알 수 있듯이 스피노자의 논리는 일관되게 '기하학적 질서의 필연성'을 따릅니다. 우리가 이 두 가지 논점에 주의하면, 〖4부〗의 서문을 이해하는 방법은 간단합니다. '기하학적 질서'란, 자명한 이해로부터 자명한 이해를 무한하게 연역하는 논리적 필연성입니다. 이 논리에 착안하여 『에티카』의 〖4부〗는 자신에 앞서는 〖1부〗로부터 〖3부〗에 이르는 논의에 기초해야 합니다. 우리가 이 점을 분명하게 이해하지 않으면 뜻밖에 스피노자의 「서문」을 오해하기 쉽습니다.

위에 있는 「서문」 가운데 다음의 문장을 함께 보겠습니다. 참고로 위의 서문은 〖4부〗에 있는 서문의 전체가 아니라 가장 중요한 부분을 발췌한 것입니다.

> 감정을 조절하고 통제하는 데 있어서 인간의 무능력을 나는 '예속'이라고 정의한다.

이 부분만을 보면, 스피노자의 윤리학은 감정에 대한 조절과 통제를 목적으로 하는 것 같습니다. 그리고 인간의 무능력은 감정의 조절과 통제에 대한 실패이기 때문에 인간 능력의 핵심은 의지력인 것 같습니다. 인간이 자신의 의지력을 최대한 발휘함으로써 감정을 조절하거나 통제하는 데에 성공하면 인간은 감정으로부터 자유이지만, 그 반대의 경우 인간은 감정에 예속되는 것 같습니다. 그런데 이와 같은 방식으로 스피노자의 말을 이해하면 최종적으로 우리에게 남는 것은 감정의 존재를 부정하는 것입니다. 감정을 느끼지만 않으면 굳이 번거롭고 힘들게 의지력으로 감정을 조절하거나 통제할 필요가 없습니다. 따라서 의지력의 실상은 감정을 부정하거나 느끼지 않는 방향으로 수렴됩니다.

그러나 이 문장을 근거로 스피노자의 윤리학을 바로 앞의 문단과 같은 방식으로 이해하면, 이는 매우 심각한 오류입니다. 왜냐하면 이미 앞에서 언급한 바와 같이 〖4부〗의 서문은 갑자기 제시된 것이 아니기 때문입니다. 『에티카』〖3부〗의 「정의 2/ 3」를 보겠습니다.

제3부 정의 2: 감정인식의 능동과 수동

나는 '능동적'이라고 말한다. 어떤 것이 우리 안에서 또는 밖에서 발생할 때, 그에 관하여 우리가 타당한 원인이 되면 우리는 능동적이다.

즉 (앞서 언급한 정의에 따라) 우리의 본성만으로 명석하고 판명하게 이해될 수 있는 어떤 일이 우리 내부나 외부에서 발생할 때, 우리는 능동적이다. 반면, 나는 '수동적'이라고 말한다. 어떤 것이 우리 안에서 발생하거나 우리의 본성에서 나올 때, 그에 관하여 우리가 부분적 원인에 불과하다면 우리는 수동적이다.

제3부 정의 3: 감정의 기본 정의

《감정》에 관하여, 나는 '몸의 변화'로 이해한다. 마음은 그와 동시에 변화에 대한 '개념'을 형성한다. 즉, 몸의 변화와 동시에 마음은 그에 대한 개념을 형성하며, 이 개념과 함께 몸은 자신의 활동 능력을 증대시키게 되거나 감소시키게 되며, 또는 자신의 활동 능력을 보다 더 크게 할 수 있게 되거나 억제될 수 있게 된다. 그러므로 우리가 몸의 '변화' 및 그와 동시에 형성되는 '개념'에 관하여 타당한 원인이 될 수 있다면, 이 경우 나는 《감정》을 '능동'으로 이해하며, 그렇지 않으면 '수동'으로 이해한다.

인용된 2개의 정의에 기초하여 생각해 보면, 감정은 의지력에 의해서 조절되거나 통제되는 대상이 절대 아님을 확인할 수 있습니다. 우리 자신의 감정 및 우리가 경험하는 모든 감정에 나아가 그에 고유한 본성의 필연성을 인식하면, 우리는 감정에 대해서 능동성으로 존재합니다. 스피노자는 "우리의 본성만으로 명석하고 판명하게 이해될 수 있는 어떤 일이 우리 내부나 외부에서 발생할 때, 우리는 능동적이다."라고 말했습니다. 여기에서 '우리의 본성'은 필연성을 향한 명백한 인식을 형성하는 인간 정신이며, '어떤 일의 내부나 외부'는 좋다 싫다 같은 감정의 현실적 존재 및 그로부터 발생하는 모든 일을 뜻합니다.

스피노자 윤리학의 『제3부』에 있는 「정의 2/ 3」에 근거하여 스피노자가 이해하는 감정에 대한 조절과 통제 및 인간의 무능력을 우리는 다음과 같이 이해할 수 있습니다.

감정 그 자체에 고유한 본성인 '영원무한의 필연성'으로 감정을 이해하지 못하면, 그것이 곧 인간 정신의 '무능력'입니다. 인간은 영원의 필연성으로 감정에 관하여 '자기원인'으로 존재합니다. 우리 가운데 그 누구도 자기가 느끼는 감정에 대한 개념을 형성함에 있어서 자기 아닌 다른 누구에게 의존하지 않습니다. 이 진실이 자기원인이며, 영원무한의 필연성의 핵심입니다. 그렇기 때문에 감정의 필연성을 인식하는 '감정의 자기이해'가 인간 정신의 진실이며 최고의 완전성입니다. 그럼에도 불구하고 인간 정신이 감정의 감각적 현상이나 감정이 한 행동(사건)의 결과만으로 감정을 이해하면, 그 즉시 감정에 대한 타당하지 못한 인식에 빠지게 됩니다.

자기원인으로 존재하는 감정을 외부 원인에 의해서 결정되었다고 잘못 이해하면, 우리는 감정의 진실인 최고의 완전성 내지는 순수지선을 인식하지 못합니다. 뜻밖에 '탓'하는 지경에 처하고 맙니다. 감정은 자기 본성의 필연성으로 자기 존재와 활동을 결정합니다. 그러나 감정이 외부 원인에 의해서 결정되었다는 '탓'을 하면, 그 즉시 감정은 자신과 모든 감정을 '필연성이 아닌 우연성' 그리고 '완전성이 아닌 불완전성'으로 잘못 이해합니다. 감정을 우연성으로 인식하면 지금과는 다른 방식으로 감정이 존재할 수 있다는 것을 인정해야 합니다. 그 즉시 지금 존재하는 감정은 불완전한 것으로 전락하게 됩니다. 지금과 다른 방식으로 존재해야 한다는 생각은 지금의 방식이 좋지 않다거나 나쁘다고 생각할 때 생겨납니다.

따라서 인간 정신이 자기 본래의 능력인 '자기원인'으로 감정을 이해하지 못하면, 인간은 감정의 진실을 이해하는 길이 있음에도 불구하고 이 진실을 등지는 비극을 선택하게 됩니다. 감정은 자기원인으로 존재하기 때문에 감정에 대한 이해도 당연히 자기원인으로 해야 합니다. 감정으로 존재하는 우리가 감정에 대한 타당한 인식을 형성할 수 있는 '감정의 자기이해'가 있음에도 불구하고, 이 길을 모르면 자포자기의 절망에 처합니다. 자기 스스로 자기 감정의 순수지선을 모르게 될 뿐만 아니라 세상 모든 감정의 순수지선에 대해서도 어둡게 됩니다. 급기야 불완전하고 나쁜 감정이 있다는 생각에 몰입하게 됩니다. 그 결과 인간 정신은 전쟁의 비극을 당연한 것으로 받아들이는 전쟁 정신으로 변질됩니다.

그러므로 감정에의 예속은 인간 정신(감정)이 자기이해로 자신을 이해하지 않는 무능력으로 인해 필연적으로 발생하는 비극입니다. 인간은 자기의 감정에 대해서 자기원인으로 존재합니다. 우리 모두는 자기 스스로 자기 감정에 대한 개념을 형성합니다. 이 사실로부터 '감정의 자기이해'는 지극히 당연합니다. 자기 스스로 형성한 개념(감정)이기 때문에 자기 스스로 자기 개념(감정)에 대해서 이해해야 합니다. 이 이해로부터 감정으로 살아가는 우리는 최고의 완전성에서 최고의 아름다움으로 최고의 자유를 누립니다. 감정의 순수지선을 이해하기 때문에 그렇습니다. 이 축복은 감정 그 자체에 고유한 것이기 때문에 본래부터 감정을 느끼며 살아가는 우리에게 주어진 것입니다. 이 이해가 감정에 대한 조절 또는 통제입니다. 따라서 감정의 조절과 통제는 감정의 순수지선을 이해하는 것입니다.

제4부   서문: 감정의 참다운 인식

그들은 자연의 '어떤 것'을 볼 때, 그것이 자신의 '고정관념'과 일치하지 않는다고 판단하면, 그 즉시 자연이 실패했거나 실수를 저질렀다고 생각한다. 불완전한 자연이 그것을 불완전하게 만들었다고 믿는다. 이로써 우리는 사람들이 자연에 대한 참다운 인식 보다는 자신의 편견에 의존하여 자연의 모든 것을 완전 또는 불완전으로 판단한다는 것을 알 수 있다. … 그러므로 완전과 불완전은 실질적으로 생각의 양태일 뿐이다. 동일한 종류에 속하는 개체들을 서로 비교함으로써 습관적으로 형성하는 개념에 불과하다.

분석

바로 앞의 「인간의 예속」에 이어서 스피노자가 『에티카』의 〔4부〕 「서문」에서 논의하는 또 다른 중요 논점을 살펴보겠습니다. 핵심은 우리 인간이 감정에 대한 인식을 그 자체의 본성으로 형성할 수 없는 이유에 대한 스피노자의 대답입니다. 스피노자는 감정에 대한 타당하지 못한 인식을 "동일한 종류에 속하는 개체들을 서로 비교함으로써 습관적으로 형성하는 개념에 불과하다."라고 말합니다. 우리가 서로 다른 감정의 감각적 현상을 비교함으로써 어떤 감정은 좋다(완전하다)고 판단하거나 반대로 나쁘다(불완전하다)고 판단하면,

그 즉시 우리는 감정 각각에 고유한 본성의 필연성을 인식하지 못하게 됩니다. 이것이 감정에 대한 타당하지 못한 인식입니다.

이 지점에서 우리는 '문화교차학'(X-Cultural Studies)의 '감정과학'(Science of Feelings)이 감정을 느끼며 살아가는 우리에게 얼마나 중요한 학문인지 깨닫게 됩니다. '교차학'은 엄격히 말해서 '비교학'이 아닙니다. 지금 현실적으로 존재하는 감정에 나아가 그에 고유한 본성의 필연성을 인식함으로써 최고의 완전성으로 감정의 순수지선을 인식하는 것이 교차학의 핵심입니다. 이 학문을 우리가 '감정과학'으로 정의하는 이유는 감정 그 자체의 본성 안에서 감정의 감각적 현상을 우연성이 아닌 영원의 필연성으로 인식하기 때문입니다. 지금 현실적으로 존재하는 감정은 다른 감정과의 비교를 통해서 이해되는 것이 아니라 자기 본성의 필연성과의 교차를 통해서 이해됩니다. 교차학이 비교학과 근본적으로 다른 이유입니다.

비교학은 서로 다른 것을 감각적 현상에 근거하여 비교하는 것입니다. 그렇기 때문에 '비교학'은 헤겔의 '정반합'(正反合)과 비슷한 양상으로 전개됩니다. '비교학'은 서로 다른 감정의 감각적 현상을 '비교'(正反)함으로써 어느 것이 더 좋은 감정인지 '판단'(合)합니다. 이때 판단의 기초는 감각적 현상에 대한 각자의 선호(選好)입니다. 어떤 감정 A를 좋아하는 사람은 A와 유사한 감정을 좋은 것으로 판단하며, 그렇지 않은 것은 나쁜 것으로 판단합니다. 이것이 고정관념입니다. 반면에 '교차학'은 기하학적 질서의 필연성을 따라서 전개됩니다. '교차학'은 서로 다른 감정의 감각적 현상 그 각각에 나아가 그에 고유한 본성의 필연성을 인식합니다. 우리가 이 방식으로 감정을 이해하는 한 모든 감정은 존재 그 자체로 순수지선임을 이해합니다.

우리가 서로 다른 감정의 감각적 현상들을 비교함으로써 감정의 좋고 나쁨을 비교하는 것은 지극히 당연합니다. 스피노자는 "완전과 불완전은 실질적으로 생각의 양태일 뿐이다."라고 말했습니다. 우리는 '지금 우리 몸의 순간 변화'에 대한 개념, 즉 '감정'으로 우리 자신의 존재를 이해합니다. 이 이해는 실질적으로 생각(사유)의 양태입니다. 우리가 감정을 느끼며 감정으로 살아간다는 것은 실질적으로 감정의 구체적인 양태로 살아간다는 것을 뜻합니다. 이 사실에 국한하여 보면, 서로 다른 감정을 '감각적 현상(양태)'으로 비교하며 이해하는 것은 자연스러운 것입니다. 그러나 감정이 '자기원인'으로 존재한다는 것 또한 엄정한 진실입니다. 이 진실에 입각하여 양태의 감정이 자기이해를 통해서 자기 본성의 필연성을 인식하는 것 또한 지극히 당연하고 자연스러운 것입니다.

그러므로 다음과 같은 결론은 필연적입니다. 우리가 감정에 대한 타당하지 못한 인식을 형성한다고 해서 그것이 곧 우리 인간 정신의 무능력을 절대적으로 뜻하지 않습니다. 엄격히 말해서 우리가 감정에 대한 타당한 인식과 타당하지 못한 인식을 구분하는 근거는 양태의 감정으로 존재하는 우리가 자신(감정)을 이해함에 있어서 자기원인의 자기이해를 형성한다는 사실이 영원의 필연성으로 명백하기 때문입니다. 이 이해로부터 우리는 감정의 순수지선을 확인할 수 있기 때문에 이 사실을 확인하지 못하는 감정 비교를 감정에 대한 타당하지 못한 인식의 유일한 원인으로 확인할 뿐입니다. 이러한 맥락에서 감정의 무능력을 강조할 뿐입니다.

그 어떤 것도 자기 존재를 실질적으로 결정하는 자기 본성의 필연성 이외 다른 것을 자신의 본성으로 갖지 않는다. 모든 것은 자기 존재의 필연성에 의하여 필연적으로 존재하도록 결정되어 있다.

분석

감정은 비교의 대상이 아닙니다. 감정은 본래부터 자기 안에 품고 있는 자기 본성의 필연성과 교차합니다. 이 사실을 감정 스스로 이해하는 것이 '감정의 자기이해'입니다. 이 이해를 위한 학문론이 '감정과학'입니다. 이 학문의 핵심은 현실적으로 존재하는 감정이 자기이해를 통해서 자기 본성의 필연성과 '교차'하는 것입니다. 그렇기 때문에 감정과학은 감정에 대한 과학적 탐구이며, 이 탐구는 영원무한의 필연성을 향한 명백한 인식입니다. 우리가 학문의 핵심을 감정이 본래부터 자기 안에 가지고 있는 본성의 필연성을 향한 분명한 인식에 두는 한에서 이 학문은 감정과학입니다.

스피노자는 "그 어떤 것도 자기 존재를 실질적으로 결정하는 자기 본성의 필연성 이외 다른 것을 자신의 본성으로 갖지 않는다."라고 말합니다. 감정은 우연성이 아닌 자기 본성의 필연성을 따라서 존재하며 오직 이 본성으로 활동하도록 결정되어 있다는 뜻입니다.

이 인식이 분명할 때, 지금 현실적으로 존재하는 감정이 신의 존재를 증명하는 성스러운 것임을 이해할 수 있습니다. 왜냐하면 지금 내가 느끼거나 경험하는 감정은 존재 그 자체로 영원무한의 필연성을 증명하기 때문입니다. 영원무한의 필연성이 최고의 완전성이며 순수지선입니다. 이것이 '신'에 고유한 본성입니다.

감정이 신의 본성을 증명하기 때문에 신의 존재는 감정으로 증명됩니다. 물론 신에 대한 많은 관념이 있다는 것을 인정합니다. 어떤 신은 병을 치료하며, 어떤 신은 돈을 줍니다. 그러나 신에 대한 이러한 관념은 사실상 신에 대한 편견이나 고정관념일 뿐입니다. 신 그 자체의 본성이 아니라 신에 대한 각자의 사유 양태입니다. 그러나 우리가 신의 본성에 대해서 생각해 보면, 그 자체는 영원무한의 필연성입니다. 이 방식 이외 다른 방식으로 신의 완전성을 이해할 수 없습니다. 영원무한의 필연성을 신의 본성으로 이해하는 한에서 우리가 일상에서 느끼는 감정에 나아가 그것의 존재를 영원무한의 필연성으로 인식한다면, 감정이 곧 신의 존재 증명입니다.

우리는 무한한 방식으로 무한한 감정을 느낍니다. 그러나 그 모든 감정은 그것을 느끼는 우리 자신에 의해서 존재가 확인됩니다. 그 어떤 감정도 자기 아닌 다른 것에 의해서 개념으로 확인되지 않습니다. 감정의 무한성은 감정을 느끼는 우리 자신에 의해서 그 존재가 확인됩니다. 이 사실을 부정하며 존재하는 감정은 없습니다. 이 진실이 감정의 본성으로서 영원무한의 필연성입니다. 이 본성은 우리의 일상적인 체험에 근거하여 생각해 보아도 분명합니다. 지금 우리가 느끼는 감정을 다른 사람이 무시하거나 우연적인 것으로 강제하면 우리는 절대적으로 기분이 좋지 않습니다.

그러므로 우리 자신의 일상적인 감정 체험 및 경험에 근거하여 우리 스스로 생각해 보면, 무한한 방식으로 무한한 감정은 존재 그 자체로 영원무한의 필연성을 자기 존재의 본질로 갖는다는 사실을 이해할 수 있습니다. 거룩하고 성스러운 '신'의 존재가 지금 느끼는 우리의 감정을 떠나서 별도로 존재하지 않습니다. 몸으로 생겨나 몸으로 놀이하는 자연의 모든 몸은 사실상 몸의 순간 변화인 감정으로 존재합니다. 우리 몸의 순간 변화인 감정이 영원무한의 필연성으로 존재한다는 사실에 근거하여 자연의 모든 몸의 순간 변화를 영원무한의 필연성으로 이해하면, 그 순간이 신에 대한 이해입니다. 따라서 감정과학 안에서 자연과학과 신학은 본질이 같습니다.

스피노자 에티카 4부 정의

선(善)에 관하여 나는 우리들에게 유용하다고 우리가 확실히
아는 것이라고 이해한다.

분석

'선'(善)에 대한 스피노자의 정의는 우리에게 익숙하지 않습니다.
우리는 일반적으로 어떤 감각적 현상에 대해서 선악(善惡)을 판단합
니다. 그러나 스피노자는 '선'을 "우리들에게 유용하다고 우리가 확
실히 아는 것"이라고 정의합니다. 이 주제를 이해하기 위해서는 앞에
서 살펴본 「서문: 감정의 참다운 인식」을 다시 봐야 합니다.

서문: 감정의 참다운 인식

그들은 자연의 '어떤 것'을 볼 때, 그것이 자신의 '고정관념'과 일치
하지 않는다고 판단하면, 그 즉시 자연이 실패했거나 실수를 저질렀다고
생각한다. 자연이 그것을 불완전하게 만들었다고 믿는다. 이로써 우리는
사람들이 자연에 대한 참다운 인식 보다는 자신의 편견에 의존하여 자
연의 모든 것을 완전 또는 불완전으로 판단한다는 것을 알 수 있다. …
그러므로 완전과 불완전은 실질적으로 생각의 양태일 뿐이다. 동일한 종
류에 속하는 개체들을 서로 비교함으로써 습관적으로 형성하는 개념에
불과하다.

"우리는 사람들이 자연에 대한 참다운 인식 보다는 자신의 편견에 의존하여 자연의 모든 것을 완전 또는 불완전으로 판단한다는 것을 알 수 있다."라고 했습니다. 이러한 방식으로 선악(善惡)을 이해하지 않겠다는 것이 스피노자의 주장입니다. 그렇다면 우리는 스피노자의 선을 어떻게 이해할 수 있을까요? 스피노자의 『에티카』 「1부」에 의하면, 존재하는 모든 것(감정)은 영원무한의 필연성 또는 순수지선으로 존재하는 신(神)에 의해서 존재하도록 결정되어 있습니다. 모든 것(감정)은 영원무한의 필연성(순수지선) 안에서 영원무한의 필연성(순수지선)으로 존재합니다.

제1부 정리 15: 감정의 영원한 필연성
모든 것은 신 안에 있다. 신 없이는 어떤 것도 존재할 수 없으며 인식될 수도 없다.

제1부 정리 16: 감정의 영원한 필연성
신의 본성의 필연성으로부터 무한한 것이 무한한 방식으로 생겨난다. 즉, 무한한 지성의 범위 안에서 모든 것들이 무한한 방식으로 무한하게 생겨난다.

자연의 모든 것(감정)은 존재 그 자체로 신의 본성을 자기 본성의 필연성으로 가지고 있으며, 오직 이 본성만을 따라서 생겨나고 놀이합니다. 자연의 모든 것은 영원으로부터 영원에 이르는 영원의 필연성 안에서 순수지선으로 존재한다는 뜻입니다. 그러나 순수지선으로 존재하는 것을 감각적 현상만으로 바라보며 이해하기 시작하면, 뜻밖에 존재 그 자체의 순수지선을 모르게 됩니다. 순수지선으로 존재하는 것을 각자의 '고정관념'에 근거하여 '좋음'(완전/ 선)과 '나쁨'(불완전/ 악)으로 재단하거나 판단하는 것입니다. 이러한 이해를 과연 존재하는 것(감정)에 대한 확실하고 타당한 인식이라고 할 수 있을까요?

순수지선이란 영원의 필연성으로 또는 영원의 절대성으로 좋은 것을 뜻합니다. 최고의 완전성 안에서 최고로 좋은 것이라서 그 어떤 불선(不善)이나 악(惡)은 본래부터 존재하지 않다는 사실이 순수지선입니다. 자연 안에 존재하는 모든 것(감정)은 순수지선 그 자체의 존재를 증명하는 성스러운 것이라는 '사실 확인'이 스피노자가 윤리학의 『1부』를 통해서 주장하는 핵심입니다. 그렇기 때문에 자연의 모든 것(감정)은 영원성 그 자체로 우리에게 좋은 것입니다. 따라서 이 사실을 분명하게 이해하는 것이 "우리들에게 유용하다고 우리가 확실히 아는 것"이며, 반대로 감각적 현상이나 고정관념에 의존하여 이해하는 것은 확실하게 아는 것이 아닙니다.

이 주제를 감정에 집중해서 이해해 봅시다. 일반적으로 우리는 어떤 감정의 감각적 현상이나 그에 대한 개인적인 의견으로서 고정관념에 근거하여 그것의 선악(善惡)을 판단합니다. 가장 대표적으로 '화'라는 감정을 들 수 있습니다. 몸의 순간 변화가 '화'라는 감정으로 드러나면, 얼굴 표정은 매우 경직되거나 일그러집니다. 우리는 일반적으로 이 감정의 현상(모습)을 가지고 화는 아름답지 않다고 판단합니다. 또는 어떤 비극적인 사건이 벌어졌을 때, 그 사건의 당사자와 그것을 바라보는 일반인은 그 원인을 '화'라는 감정에 둡니다. 그결과 '화'를 불선(不善)이나 악(惡)으로 규정합니다. 이러한 방식으로 감정을 이해하며 더 나아가 감정의 가치를 평가하는 것이 감정에 대한 타당하지 못한 인식입니다.

'화' 같은 분노의 감정을 감각적 현상으로 바라보면 그것은 전혀 아름답지 않은 것 같습니다. 이 감정으로부터 우리가 겪는 비극이 발생한다고 생각하면 그것은 아름다움을 넘어서 불완전 또는 악의 근원 같습니다. 그러나 우리는 한 가지 매우 중요한 사실을 놓치고 있습니다. '화' 그 자체에 고유한 본성의 필연성에 대해서 우리는 명석판명의 이해를 결여하고 있습니다. 우리 자신이 화를 느끼거나 경험할 때, 그 감정에 고유한 본성의 필연성에 대해서 명백하게 이해하지 않는 것입니다. 이 경우 화는 자신이 존재가 자기 본성 아닌 다른 어떤 외부 원인에 의해서 결정되었다고 잘못 이해하게 됩니다. 이러한 타당하지 못한 이해로부터 온갖 비극이 발생합니다.

'화' 같은 분노의 감정을 비롯해서 무한한 방식으로 무한하게 존재하는 감정에 나아가 그에 고유한 본성의 필연성을 이해하면, 그 어떤 감정도 지금 존재하는 방식과 다른 방식으로 존재할 수 없다는 영원의 필연성을 이해하게 됩니다. 이 이해로부터 우리는 감정의 순수지선을 확인합니다. 왜냐하면 모든 감정은 영원무한의 필연성에 의해서 존재하도록 결정되어 있다는 사실을 이해하기 때문입니다. 그러한 한에서 우리는 감정의 존재를 절대적으로 그리고 자연스럽게 긍정하지 않을 수 없습니다. 더 나아가 이 긍정 안에서 우리는 감정의 진실을 명백하게 이해할 수 있게 되며, 그만큼 우리는 모든 감정을 생명과 사랑 안에서 즐길 수 있게 됩니다.

아주 쉬운 예로 부모와 자식 사이 또는 연인 사이를 생각해 봅시다. 한 가정 안에서 부모와 자식은 얼마든지 서로를 향해 화를 느낄 수 있습니다. 놀고 있는 자식에게 부모는 공부하라고 화를 낼 수 있으며, 그 말을 듣는 자식은 부모를 잔소리꾼으로 바라보며 화를 낼 수 있습니다. 연인 사이도 별별 이유로 서로에게 화를 낼 일이 많습니다. 이때 화를 느끼거나 경험하는 우리가 서로의 화에 고유한 본성의 필연성을 묻고 배우지 않으면, 끝내 폭력이나 살인 같은 비극을 피할 수 없게 됩니다. '나'를 향한 상대방의 분노나 화가 '나'의 존재를 부정하거나 나쁜 것으로 판단한다고 생각하기 때문입니다. 그 즉시 '나'는 상대방의 감정을 파괴하려는 욕망을 느낍니다.

이때 정신과 의사나 심리 상담사가 비극을 피하는 방법으로 서로에게 화를 내지 말라거나 화를 느끼지 않도록 노력하라는 처방을 내리면, 이는 감정의 유용성을 제대로 아는 것이 아닙니다. 왜냐하면 그러한 처방은 우리가 서로를 향해 화를 낼 수밖에 없는 '필연성'을 향한 분명한 인식으로 우리를 인도하지 않기 때문입니다. 더 나아가 그런 방식으로는 절대적으로 서로를 향한 이해나 배려가 절대적으로 이루어지지 않습니다. 지금 내가 느끼는 감정이 지금 나의 존재 그 자체이기 때문에 감정에 대한 이해가 분명하지 않으면, 이는 실질적으로 존재에 대한 이해가 분명하지 않은 것입니다.

우리의 감각이나 고정관념 또는 감각 대상의 현상과 무관하게 존재하는 모든 감정은 존재 그 자체로 순수지선을 본성으로 갖습니다. 영원무한의 필연성 안에서 영원무한의 필연성으로 존재하는 것이 무한한 방식으로 무한하게 존재하는 감정의 영원한 진실입니다. 이 사실을 분명하게 이해하는 것이 감정의 순수지선을 분명하게 이해하는 것입니다. 그러한 한에서 이 이해 이상으로 '좋은 것'(善)은 없습니다. '감정의 자기이해'가 선(善)입니다. 이 이해를 퇴계 이황은 『성학십도』에서 '경'(敬)이라고 정의합니다. 감정의 진실이 순수지선이기 때문에 감정의 현상에 나아가 그것의 순수지선을 이해하는 것이 선

(善)입니다. 이 지점에서 '존재'와 '인식'이 '본래 하나'라는 것을 알
수 있습니다.

제4부　정의 2: 악(惡)

악(惡)에 관하여 나는 우리가 어떤 선(善)한 것을 소유함에 있어서 방해되는 것이 무엇인지 우리가 확실하게 아는 것으로 이해한다.

분석

그 어떤 감정도 악(惡)으로 존재하지 않습니다. 사실상 악(惡)의 실체는 없습니다. 감정에 대한 타당하지 못한 인식이 감정의 순수지선을 인식하는 데에 방해되기 때문에, 악(惡)은 실질적으로 감정에 대한 타당한 인식의 결여입니다. 감정은 무한한 방식으로 무한하게 존재하지만, 그 어떤 감정도 우연성으로 존재하지 않습니다. 감정의 무한성은 절대적으로 영원무한의 필연성 안에 존재하며 오직 이것만을 자기 존재에 고유한 본성으로 갖습니다. 이 본성을 어기며 존재하는 감정은 없습니다. 그렇기 때문에 감정으로 하여금 이 명백한 사실로 인도하지 않는 인식의 오류가 악(惡)입니다. 감정을 영원무한의 필연성으로 인식하지 못하면, 그 즉시 감정은 감각적 현상으로 존재하게 됩니다. 그 결과 감정은 현상에 대한 서로 다른 의견이나 고정관념에 의해서 선악(善惡)으로 해석됩니다. 감정의 순수지선을 알수 없게 되는 비극이 여기에서 발생합니다. 따라서 감정의 순수지선을 인식하지 못하도록 방해하는 '현상 해석'이 악(惡)입니다.

분석

이 정의에서 우리가 주의해야할 것은 논의의 핵심이 '감정 그 자체의 본질'이 아니라 '개별적인 감정의 본질'에 있다는 것입니다. 전자를 '본연지성'(本然之性) 또는 감정 자체에 고유한 본성의 필연성으로 이해할 수 있다면, 후자는 '기질지성'(氣質之性) 또는 감정에 고유한 특질로 이해할 수 있습니다. 이러한 구분을 근거로 이 정의를 이해하면, 감정을 '우연성'으로 이해하는 것은 지극히 당연합니다. 이 말은 감정에 고유한 본성의 필연성을 부정하는 것이 전혀 아닙니다. 이 정의를 보다 더 쉽게 이해하기 위해서 스피노자 『에티카』의 〖1부〗에 있는 정의 두 개를 먼저 검토해 보겠습니다.

제1부 정리 24: 감정과학의 즐거움
신에 의해서 생겨난 것들의 본질에는 존재가 속하지 않는다.

제1부 정리 25: 성스러운 나의 감정

신은 사물의 존재뿐만 아니라 본질에 대해서도 실질적인 원인이다.

자연의 모든 것(감정)은 영원무한의 필연성에 의해서 존재하도록 영원의 필연성으로 결정되어 있습니다. 그 어떤 것도 우연성으로 존재하지 않는다는 뜻입니다. 이 사실에 대한 확인이 『1부』의 「정리 25」입니다. 쉬운 예로 삼각형의 본성인 '세 개의 내각, 그리고 그 총합은 180도'로부터 무한한 방식으로 무한한 삼각형이 생겨난다는 것을 생각해 보면 쉽게 이해할 수 있습니다. 같은 이치로 엄마아빠의 생명과 사랑으로부터 지금 우리의 몸이 영원의 필연성으로 생겨난다는 '몸-생김' 그 자체의 진실을 밝히는 것이 「정리 25」입니다. 그 어떤 삼각형과 몸-생김도 이 진실을 부정하며 존재하지 않습니다.

그런데 2023년 6월 29일 대한민국 서울에 살고 있는 철수가 삼각형 A를 그렸다고 가정해 봅시다. 삼각형 A에 고유한 본성은 영원무한의 필연성 안에 있지만, '대한민국 서울'이라는 공간과 '2023년 6월 29일'이라는 시간은 절대적으로 삼각형 A의 존재를 필연적으로 긍정하지 않습니다. 오직 이 경우에 한하여 철수가 그린 삼각형 A는 '우연적'으로 존재합니다. 왜냐하면 삼각형 A를 설명하는 공간과 시간으로부터 삼각형 A의 존재가 필연적으로 연역되는 것이 아니기 때문입니다. 동시에 삼각형의 본성 또한 삼각형 A의 공간과 시간을 결정하지 않습니다. 삼각형의 본성은 오직 자기 본성의 필연성만을 따라서 무한한 방식으로 무한하게 삼각형의 양태를 산출합니다. 이것이 본연지성이라면, 기질지성은 구체적인 공간과 시간으로 감각적으로 지각된 삼각형의 겉모습입니다. 이것은 본성에 의해서 결정된 것이 아니므로 우연적입니다.

우리 자신의 몸도 위와 같은 방식으로 이해해야 합니다. 예를 들어서 지금 나의 몸이 1980년 대한민국의 여수에서 태어났다고 가정합시다. '대한민국 여수'라는 공간과 '1980년'이라는 시간은 절대적으로 내 몸-생김을 필연적으로 긍정하지 않습니다. 내 몸은 '엄마아빠-나'라는 영원무한의 필연성 그리고 이 본성에 고유한 영원무한의 생명과 사랑 안에서 무한한 방식으로 무한하게 생겨나는 몸 가운데 하나입니다. 이 본성으로부터 내 몸이 존재하는 구체적인 공간과 시간은 결정되지 않습니다. 이것이 본연지성입니다. 이 본성으로부터 생겨난 내 몸을 '남자', '여수', '1980년' 등과 같은 감각적 현상으로 이해하면, 그것이 기질지성입니다. 이것은 본성에 의해서 결정된 것이 아니므로 우연적입니다.

감정에 대한 이해도 위와 같이 이해해야 합니다. 어떤 감정이 생겨나고 놀이한다고 할 때, 우리는 그것을 두 가지 방식으로 이해할 수 있습니다. 그것에 고유한 본성의 필연성을 영원무한으로 인식함으로써 그것의 순수지선을 이해하는 것입니다. 한편, 우리가 그것의 생김과 놀이를 설명하는 공간과 시간으로 이해할 때, 우리는 그것을 우연적인 것으로 이해합니다. 이 지점에서 다음과 같은 질문이 생성됩니다.

어떤 것을 이해할 때, 두 개의 서로 다른 이해가 독자적으로 존재하는 것일까요?

이 질문에 대해서 『에티카』 [1부]의 「정리 29」는 다음과 같이 답합니다.

제1부 정리 29: 성스러운 나의 감정

세상의 모든 것은 우연이 아니라 신의 본성에 고유한 영원무한의 필연성에 의하여 특정한 방식으로 존재하고 작동하도록 결정되어 있다.

그 어떤 감정도 우연으로 존재하지 않습니다. 영원무한의 필연성에 의하여 존재하도록 영원성 그 자체로 결정되어 있습니다. 그러나 이 진실은 어떤 감정이 왜 하필 그 공간과 그 시간에 존재하게 되었는지에 대한 설명을 하지 않습니다. 더 나아가 그 감정이 얼마나 오랫동안 지속적으로 존재하는 지에 대한 설명을 하지 않습니다. 왜냐하면 공간과 시간 그리고 지속은 감정 자체에 고유한 본성의 필연성에 의해서 규정되지 않기 때문입니다. 존재하는 모든 것은 존재 그 자체에 고유한 본성인 '영원무한의 필연성'에 의해서 존재하도록 결정되어 있습니다. 이 결정을 따라서 감정은 자신의 구체적인 존재를 과거-현재-미래로 드러낼 뿐입니다. 모든 공간과 시간이 사실은 영원무한의 필연성 안에 존재합니다.

이 사실로부터 존재의 진실은 영원무한의 필연성으로 순수지선이라는 결론이 나옵니다. 영원무한의 필연성 또는 순수지선은 특정된 공간과 시간을 결정하지 않습니다. 그렇기 때문에 어떤 것이 존재할 때, 그것의 본성으로서 영원무한의 필연성은 그것이 왜 그 공간과 그 시간에 존재하게 되었는지를 설명하지 않습니다. 더 나아가 그것의 지속성, 즉 생성의 시점과 소멸의 시점을 설명하지 않습니다. 왜냐하면 영원무한의 필연성에 의해서 영원무한의 필연성으로 존재하도록 결정되어 있기 때문입니다. 그러한 한에서 그것의 존재를 공간과 시간 그리고 지속성에 국한해서 바라보면, 그것은 우연성으로 존재하거나 우연성으로 생성과 소멸을 겪을 뿐입니다.

그러므로 감정을 느끼며 살아가는 우리의 삶은 영원무한의 필연성 안에 존재합니다. 어떤 감정이 어떤 공간과 어떤 시간에 존재하고 지속하고 있는가는 고려의 대상이 아닙니다. 어떤 공간이나 시간 또는 그것의 지속에 상관없이 감정은 존재 그 자체로 영원무한의 필연성 안에서 순수지선으로 존재합니다. '왜 이런 감정을 나는 느끼는 것일까?' 또는 '너는 왜 그런 감정을 느끼는 거야?'라는 질문 대신, 무한한 방식으로 무한하게 새로운 감정에 나아가 그에 고유한 본성의 필연성을 이해하는 것이 중요합니다. 그 결과 우리가 감정의 순수지선을 확인하면, 그때 비로소 감정은 자신의 공간과 시간 그리고 지속을 즐길 수 있게 됩니다.

개별적인 감정을 생기게 하는 원인에 대하여 생각할 경우, 우리가 그 원인이 그 감정의 존재를 결정했는지 여부를 확실하게 알 수 없을 때, 나는 그 감정을 가능한 것이라고 부른다.

분석

우리가 어떤 감정을 느끼거나 경험할 때, 그 감정이 자기 안에 본래부터 품고 있는 자기 존재의 필연성을 우리가 명백하게 이해하면, 그 즉시 우리는 그 감정의 순수지선을 영원무한의 필연성으로 인식합니다. 여기에는 그 어떤 우연성이나 가능성 같은 것이 없습니다. 이 이해에 근거하여 자연 안에 존재하는 모든 감정을 배우면, 그 어떤 감정도 우연성으로 존재하지 않는다는 사실을 깨닫게 됩니다. 이 깨달음은 감정에 대한 믿음을 더욱 견고하게 하며, 다시 이 믿음 안에서 우리는 자연 안에 무한히 존재하는 감정을 배우게 됩니다.

이 진실을 스피노자는 〖1부〗에서 다음과 같이 확인했습니다.

제1부 정리 15: 감정의 영원한 필연성
모든 것은 신 안에 있다. 신 없이는 어떤 것도 존재할 수 없으며 인식될 수도 없다.

제1부 정리 35: 감정의 영원한 필연성

우리가 신의 힘 안에 있는 것으로 생각하는 모든 것은 영원의 필연성으로 존재한다.

모든 감정은 신(영원무한의 필연성) 안에 존재하며, 그렇기 때문에 당연히 신(영원무한의 필연성)의 본성으로 존재합니다. 이 결론에 근거하여 다음과 같은 질문이 성립합니다.

언제 우리는 감정의 생김을 '가능성'으로 이해하게 될까요?

감정의 자기이해로부터 감정은 자기 존재를 영원무한의 필연성으로 이해합니다. 이 주제를 쉽게 이해하기 위하여 우리 몸에 나아가 생각해 봅시다. 머리를 숙여 몸에 있는 배꼽을 보면, 그 즉시 엄마아빠의 존재는 우리 몸의 존재에 관한 한 영원무한의 필연성입니다. 고아로 태어나신 분이나 부모를 일찍 여의신 분들도 자기 몸의 배꼽을 보면서 생각해 보면, 자기 스스로 자기 존재의 원인으로서 엄마아빠의 존재를 영원무한의 필연성으로 확인합니다. 몸-생김의 진실이 영원무한의 필연성이라면, 이 몸으로 놀이하는 몸-놀이도 영원무한의 필연성 안에 있습니다.

우리가 몸의 순간 변화로서 감정을 몸-놀이로 이해하는 한에서 감정은 영원무한의 필연성을 본성으로 갖습니다. 이 결론은 스피노자 『에티카』의 〖2부〗에서 확인할 수 있습니다.

제2부 정리 32: 감정의 자기이해
모든 개념은 신에 관련되는 한 참이다.

제2부 정리 47: 내 마음의 진실

인간의 마음은 신의 영원하며 무한한 본질에 대한 타당한 인식을 가지고 있다.

여기에서 '신'은 영원무한의 필연성을 뜻합니다. 감정을 느끼며 그에 대한 개념을 형성하는 마음이 영원무한의 필연성으로 자기(감정)를 이해하면, 이 인식은 최고의 완전성 안에서 진리의 필연성으로 확인된다는 것입니다. 우리가 이와 같은 방식으로 감정에 대한 타당한 인식이 무엇인지 이해하면, 앞에서 제기한 질문, **'언제 우리는 감정의 생김을 '가능성'으로 이해하게 될까요?'**에 대한 답을 쉽게 할 수 있습니다. 이 물음에 대한 답을 『3부』에서 찾을 수 있습니다.

제 3부 정의 2: 감정인식의 능동과 수동

나는 '능동적'이라고 말한다. 어떤 것이 우리 안에서 또는 밖에서 발생할 때, 그에 관하여 우리가 타당한 원인이 되면 우리는 능동적이다. 즉 (앞서 언급한 정의에 따라) 우리의 본성만으로 명석하고 판명하게 이해될 수 있는 어떤 일이 우리 내부나 외부에서 발생할 때, 우리는 능동적이다. 반면, 나는 '수동적'이라고 말한다. 어떤 것이 우리 안에서 발생하거나 우리의 본성에서 나올 때, 그에 관하여 우리가 부분적 원인에 불과하다면 우리는 수동적이다.

제3부 정의 3: 감정의 기본 정의

《감정》에 관하여, 나는 '몸의 변화'로 이해한다. 마음은 그와 동시에 변화에 대한 '개념'을 형성한다. 즉, 몸의 변화와 동시에 마음은 그에 대한 개념을 형성하며, 이 개념과 함께 몸은 자신의 활동 능력을 증대시키게 되거나 감소시키게 되며, 또는 자신의 활동 능력을 보다 더 크게 할 수 있게 되거나 억제될 수 있게 된다. 그러므로 우리가 몸의 '변화' 및 그와 동시에 형성되는 '개념'에 관하여 타당한 원인이 될 수 있다면, 이 경우 나는 《감정》을 '능동'으로 이해하며, 그렇지 않으면 '수동'으로 이해한다.

감정의 자기이해는 감정의 순수지선을 영원무한의 필연성으로 확인합니다. 감정은 순수지선으로 생겨나서 순수지선으로 놀이합니다. 반면에 감정의 원인을 본성이 아닌 사실상 존재하지도 않는 어떤 외부 원인에서 찾고 그와 동시에 그에 의존하여 감정을 해석하면, 이것은 그 자체로 감정에 대한 타당한 인식이 아닙니다. 이러한 인식의 오류로 인하여 우리는 감정의 생김을 '가능한 것'으로 잘못 이해하게 됩니다. 감정의 원인을 자기 본성이 아닌 외부의 공간과 시간에서 찾게 되면, 뜻밖에 원인에 대한 원인을 추궁하면 할수록 그에 비례하여 원인을 알 수 없게 된다는 불가지(不可知)에 빠지게 됩니다. 왜냐하면 인식의 시작을 공간과 시간으로 하면, 우리는 그 즉시 공간과 시간의 한계에 갇히기 때문입니다. 우리는 지금의 공간과 시간을 초월하여 모든 공간과 시간에 존재할 수 없습니다. 감정의 놀이도 이와 같은 방식으로 이해할 수 있습니다.

그러므로 생겨나고 놀이하는 것을 두고 그것의 원인을 우리가 알 수 없다고 생각하면, 그것은 우리에게 가능성으로 존재하는 것이 됩니다. 이와 반대로 우리가 무한한 방식으로 무한한 감정을 현실적으로 느낄 때 그 각각의 감정에 나아가 그에 고유한 본성의 필연성을 영원무한으로 이해하면 그 즉시 우리는 감정의 순수지선을 확인하게 됩니다. 이것이 감정의 자기이해입니다. 감정을 느끼거나 경험할 때마다 그것의 존재를 영원무한의 필연성으로 인식한다는 것은 실질적으로 감정에 관하여 자기원인으로 존재한다는 것을 뜻합니다. 감정을 결과적 현상으로 이해하는 것이 아니라 그 자체에 고유한 본성으로서 영원무한의 필연성으로 인식하는 것이 '감정의 자기이해'입니다. 따라서 이 이해가 아니면 감정은 가능성으로 생겨나고 놀이하는 것이라고 잘못 이해합니다. 감정의 순수지선을 이해하지 못합니다.

감정의 충돌이란, 나는 한 인간을 서로 다른 방향으로 끌고 가는 감정으로 이해한다. 충돌하는 감정들이 같은 종류에 속하는 경우라고 해도 마찬가지이다. 예를 들어서 사치와 탐욕은 둘 다 사랑의 종류이기 때문에 본성 상 서로 반대되는 감정은 아니지만 우연적으로 충돌한다.

분석

몸의 순간 변화로서 감정은 무한한 방식으로 무한하게 존재하기 때문에 감정은 얼마든지 서로 충돌하는 두 개 또는 그 이상의 양태로 존재할 수 있습니다. 감정의 충돌을 느끼는 것은 지극히 당연하며, 이는 우리의 일상에 근거하여 쉽게 이해할 수 있습니다. 아주 간단한 예로 치킨과 피자 사이에 고민하는 우리를 떠올려 보면 됩니다. 그런데 이 정의에서 정말 중요한 것은 "본성 상 서로 반대되는 것이 아니라 우연적으로 충돌하는 감정이다."라는 것입니다. 만약 본성 상 서로 반대되는 감정이 동시에 존재한다면, 어느 한 감정이 다른 한 감정의 존재를 부정하는 결과를 초래하기 때문에 이는 터무니없는 것입니다.

이 논점은 〖3부〗에서 이미 다루었습니다.

제3부 정리 5: 생명과 사랑의 몸

어느 한 몸이 다른 몸을 파괴하는 한에서 이 둘은 본성에 관하여 서로 반대된다. 즉, 이 두 개의 몸은 동일한 주체 안에 있을 수 없다.

서로 충돌하는 감정은 실질적으로 어느 하나가 다른 하나를 파괴하는 것입니다. 이 감정들이 본성 상 충돌하는 것이라면 이 둘은 몸의 순간 변화로서 감정 안에 동시에 존재할 수 없습니다. 따라서 이 두 개의 감정은 우연적으로 존재합니다. 그런데 '우연적'이라는 말은 바로 앞의 정의에서 다루었습니다.

정의 3: 우연성

우리가 개별적인 감정의 본질에 국한하여 생각할 경우, 그것의 존재를 '필연적으로' 긍정하거나 부정하는 그 어떤 것도 찾을 수 없는 한에서 나는 그 개별적인 감정을 우연한 것이라고 부른다.

감정을 '우연성'으로 이해하는 것은 감정에 고유한 본성의 필연성을 명백하게 이해하지 않을 때입니다. 즉, 감정의 자기이해가 분명하지 않으면 감정을 우연적인 것으로 잘못 이해하게 됩니다. 그렇기 때문에 감정의 충돌을 우연적인 것으로 이해하는 것은 실질적으로 감정의 본성에 대한 명석판명의 이해를 결여하고 있다는 것을 뜻합니다. 참고로 앞에서 잠깐 예로 든 치킨과 피자 사이의 충돌도 이 방식으로 이해할 수 있습니다. 이 둘 사이에 고민하다가 어느 하나를 결정할 수도 있고, 아니면 둘 다 결정할 수 있습니다. 감정의 충돌을 괴로워할 것이 아니라 자기 스스로 생각하고 결정하면 됩니다. 이러한 방식으로 생각하며 묻고 배우면 감정 안에서 자유롭습니다.

그러므로 우리가 서로 충돌하는 감정에 나아가 그에 고유한 본성의 필연성을 인식하면 왜 그러한 방식으로 감정을 느끼게 되는지 이해하게 됩니다. 이 이해에 기초하여 우리는 '감정의 자기이해'가 절대적으로 감정의 충돌로 전개되지 않는다는 것을 이해할 수 있습니다. 서로 충돌하는 감정이 자기이해 안에서 각각에 고유한 본성의 필연성을 이해하면, 감정들은 더 이상 충돌하지 않습니다. 그렇기 때문에 현실적으로 충돌하는 감정들이 생명과 사랑 안에서 자기 존재를 지속할 수 있는 유일한 방법은 감정의 자기이해입니다.

> **제4부　정의 6: 과거현재미래**
>
> 과거, 현재, 미래를 향한 감정은 3부의 정리 18 주석 1과 2
> 에서 설명했으므로 참조하기 바란다.

분석

『 3부 』의 「정리 18」은 다음과 같습니다.

제3부 정리 18: 감정의 영원성

나는 현재의 어떤 몸에 대한 상상만으로 기쁨과 슬픔의 감정을 느끼는데, 이와 같은 방식으로 나는 과거나 미래의 어떤 몸에 대한 상상만으로 기쁨과 슬픔의 감정을 느낀다.

과거, 현재, 미래의 시간은 감정이 느끼는 것입니다. 몸의 순간 변화가 과거, 현재, 미래를 느낍니다. 즉, 과거 현재 미래라는 특정된 시간(공간)이 지금 나의 감정을 떠나서 별도로 존재하지 않습니다. 영원무한의 필연성 안에서 영원무한의 필연성으로 이루어지는 지금 내 몸의 몸의 순간 변화가 '현재'(몸의 순간 변화)를 느끼거나 '과거'(몸의 순간 변화)를 기억하며 '미래'(몸의 순간 변화)를 상상합니다.

제4부 정의 7: 감정의 욕망

우리가 목적을 위하여 어떤 것을 할 때 나는 이것을 욕망으로 이해한다.

분석

우리가 이 정의의 '목적'을 '욕망'과 관련하여 이해하는 한, '목적'은 몸 스스로 자기 존재를 유지하려는 욕망입니다. 〚3부〛의 「정리 7/ 8」을 통해서 확인할 수 있습니다.

제3부 정리 7: 욕망의 진실

각각의 몸이 자신의 '욕망'(conatus)으로 자기 존재를 유지하려는 노력은 그 몸 자신의 현실적 본질이다.

제3부 정리 8: 욕망의 영원무한

모든 몸 각각은 자신의 욕망으로 자기 존재를 유지하기 위한 노력을 한다. 이 노력은 유한한 시간이 아니라 무한한 시간을 포함한다.

그런데 '몸'은 매순간 새로운 순간 변화인 '감정'으로 존재합니다. 감정을 떠나서 몸의 존재가 별도로 있지 않습니다.

제2부 정리 19: 인식의 기초로서 감정

인간의 마음은 몸을 직접적으로 인식할 수 없으며, 몸의 변화에 대한 개념을 형성함으로써 몸을 인식한다.

우리가 몸의 존재를 몸의 순간 변화로서 감정으로 확인하는 한에서 "각각의 몸이 자신의 '욕망'(conatus)으로 자기 존재를 유지하려는 노력"은 실질적으로 몸의 현실적 본질로서 감정이 자기 존재를 유지하려는 노력입니다. 몸의 순간 변화로서 감정이 현실적인 양태로 존재하면, 이 감정은 자기 존재를 유지하는 욕망을 발현합니다. 이 욕망의 발현은 구체적으로 다음과 같습니다.

제3부 정리 12: 감정의 욕망
마음은 자신이 할 수 있는 한에서 자기 몸의 활동 능력을 증대시키거나 그러한 변화에 도움을 주는 몸들을 생각하려고 노력한다.

감정의 욕망은 단순히 자기 존재의 유지에 국한되지 않습니다. 몸의 순간 변화로서 감정은 자신의 활동 능력을 증대시키려고 노력합니다. 이것이 욕망의 진실입니다. 그렇기 때문에 이 욕망은 자연스럽게 다음과 같은 방향으로 전개됩니다.

제3부 정리 28: 욕망의 이성
나는 나의 기쁨에 도움이 될 것이라고 상상하는 모든 것을 실현하려고 노력한다. 그러나 나는 나의 기쁨에 반대되는 것이나 슬픔에 도움이 될 것이라고 상상하는 모든 것을 제거하거나 파괴하려고 노력한다.

감정의 욕망은 자기 존재의 유지 및 자기 활동 능력에 도움이 되는 것은 소유하려고 하지만, 반대로 도움이 되지 않는다고 판단한 것에 대해서는 그것을 악(惡)으로 규정하며 동시에 그것의 파괴를 욕망합니다. 그러나 이미 논의한 바와 같이 악(惡)은 엄밀히 말해서 몸 또는 감정이 아니라 인식의 오류라고 밝혔습니다. 이것은 지금 우리가 공부하는 『4부』의 「정의 2」에 입각하여 당연한 것입니다.

정의 2: 악(惡)
악(惡)에 관하여 나는 우리가 어떤 선(善)한 것을 소유함에 있어서 방해되는 것이 무엇인지 우리가 확실하게 아는 것으로 이해한다.

이제 우리는 「제3부 정리 28: 욕망의 이성」에 있는 '파괴'와 본서에서 공부하는 「제4부 정의 2」에 있는 '악'을 함께 두고 생각해야 합니다. 욕망이 자신의 이성을 따라서 생각해 보면, 자신에게 '악'은 자기 본성의 필연성을 이해하지 못하게 방해하는 '자기인식의 오류'입니다. 그러한 한에서 욕망은 이 오류를 파괴하고자 노력하게 되어 있습니다. 그렇기 때문에 욕망의 목적은 인식의 오류를 파괴하는 것이며, 이것은 실질적으로 자기이해를 욕망하는 것입니다. 자기이해가 명백하면, 그 즉시 자기 인식의 오류는 저절로 파괴되어 사라집니다.

감정의 욕망이 감정의 존재를 자기 본성의 필연성 또는 자기원인이 아닌 외부 원인에 의해서 결정되었다고 타당하지 못하게 이해하면, 그 즉시 감정의 욕망은 외부 원인에 예속됩니다. 외부 원인에 의해서 자신의 행복과 불행이 결정된다는 착각에 빠지는 것입니다. 그러나 감정의 욕망이 자기이해를 통해서 자기의 감정에 고유한 본성의 필연성을 인식하는 한에서 감정의 욕망은 외부 원인에 자신을 예속 시키지 않으며 철두철미 영원무한의 필연성 안에서 자기의 감정을 비롯해서 자신이 교차하는 모든 감정을 순수지선으로 이해한다고 정리했습니다. 감정의 욕망이 이와 같은 방식으로 자신을 이해할 때 욕망은 영원무한의 필연성을 향한 명백한 인식 안에서 모든 감정을 생명과 사랑으로 확인합니다.

이러한 '욕망의 이성'(The Rationality of Reason)을 『3부』에서 다음과 같이 확인했습니다.

제3부 정리 58: 참된 기쁨과 욕망

수동적인 감정으로서 기쁨과 욕망 이외, 우리가 능동적으로 활동하는 한에서 우리 자신에게 관계하는 기쁨과 욕망의 감정도 존재한다.

제3부 정리 59: 감정의 행복

마음이 능동적으로 활동하는 한에서 여기에 관계되는 모든 감정 가운데 그 어떤 감정도 기쁨과 욕망이 아닌 것으로 존재하지 않는다.

'욕망'이란 현실적으로 존재하는 감정이 자기의 행복을 위해 자신이 할 수 있는 모든 노력을 한다는 것을 뜻합니다. 이 목적 하에 감정의 욕망이 행복을 추구하는 자신의 이성에 근거하여 자기 존재의 기초로서 감정의 본성을 영원무한의 필연성으로 이해하면, 그 즉시 감정의 욕망은 자신 및 자신과 교차하는 모든 감정을 순수지선으로 이해합니다. 이 이해가 감정의 능동성이며 감정이 오직 기쁨만으로 자신의 존재를 확인하는 방법입니다. 그러나 이 진실을 감정의 욕망이 배우지 않아서 자기 스스로 자기 진실에 어두워질 때 욕망은 외부 원인에 자신을 예속시키며 그것의 소유 아니면 파괴를 행복으로 추구하게 됩니다.

그러므로 감정의 욕망이 자신의 행복을 목적으로 설정할 때, 욕
망은 이 목적을 실현하기 위하여 다음의 두 가지 경우 가운데 하나
를 선택해야 합니다.

① 감정의 욕망은 감정의 본성을 영원무한의 필연성으로 인식함으로써
감정을 느끼며 살아가는 세상을 다 좋은 순수지선으로 즐기는 축복
을 누립니다.

② 감정의 욕망은 외부 원인에 의해서 자신의 감정이 결정되었다는 타당
하지 못한 인식에 자신을 가둠으로써 자기 존재를 불완전 또는 우연
으로 이해함과 동시에 그러한 방식으로 자기 존재를 결정한 외부 원
인을 파괴하려는 전쟁 정신의 비극에 몰입합니다.

이제 다음과 같은 질문이 성립합니다.

**감정의 욕망은 위 두 가지 경우 가운데 어떤 것을 자기 행복의 목적으
로 추구하며 그것을 위해서 무엇을 할까요?**

문제의 정답은 당연히 '①'입니다. 감정의 욕망이 자신의 감정을
'순수지선'으로 확인하게 되면, 욕망은 자기 존재를 비롯해서 세상
모든 감정의 진실을 최고의 완전성으로 확인하게 됩니다. 이 확인을
위한 방법은 감정의 욕망이 자기 존재의 기초로서 감정을 그에 고유
한 본성의 필연성으로 인식하는 감정의 자기이해입니다. 따라서 감정
의 욕망은 감정의 순수지선을 행복의 목적으로 추구하며, 이 목적을

위해서 욕망은 감정의 자기이해만을 하도록 영원의 필연성으로 결정
되어 있습니다. 이 진실을 감정과학은 '욕망의 이성'으로 이해합니다.

> ─── **제4부   정의 8: 감정의 덕과 능력** ───
>
> 나는 덕(德)과 능력을 같은 것으로 이해한다. 우리가 덕을 인간의 본질이나 본성으로 이해하는 한에서 덕은 자기 본성의 필연성만으로 이해되는 것을 실현하는 능력이다.

분석

이 정의는 바로 앞에서 살펴본 「정의 7」의 핵심을 요약한 것입니다. 욕망의 이성은 오직 진리의 필연성만으로 자신과 세상 모든 감정을 배우며 이해합니다. 이 이해의 진실을 『에티카』의 〚1부〛는 다음과 같이 확인합니다.

제1부 정리 30: 감정의 자기이해

지성(intellect)은 유한한 것이든 무한한 것이든 근본적으로 신의 속성과 그것의 변화로서 양태를 이해해야 하며, 그 외의 것은 이해하지 않는다.

감정의 욕망은 "근본적으로 신의 속성과 그것의 변화로서 양태를 이해해야 하며, 그 외의 것은 이해하지 않는다."는 사실에 기초하여 '이성' 그 자체입니다. 이 이성은 감정의 진실을 다음과 같이 확인합니다.

제1부 정리 29: 성스러운 나의 감정

세상의 모든 것은 우연이 아니라 신의 본성에 고유한 영원무한의 필연성에 의하여 특정한 방식으로 존재하고 작동하도록 결정되어 있다.

감정의 욕망은 자신의 감정뿐만 아니라 세상 모든 감정을 신의 본성 안에서 이해하며, 이것은 실질적으로 최고의 완전성 안에서 세상 모든 감정을 순수지선으로 이해한다는 것을 뜻합니다. 이 이해는 자기이해에 기초한 것이며, 동시에 자기이해 안에서 영원무한의 필연성을 인식하는 것이기 때문에 명석판명 그 자체입니다. 빛이 자신의 빛으로 자기 존재의 진실을 증명하는 것과 같이 '자기이해'는 '자기이해' 자신으로 자기가 형성한 이해의 진실성을 증명합니다.

이 이해를 형성하며 동시에 이 이해를 믿는 감정의 욕망이 '덕'(德)입니다. 이 진리는 이미 『2부』에서 다루었습니다.

제2부 정리 43: 믿음의 감정과학
참된 개념을 소유한 사람은 그와 동시에 자신이 참된 개념을 소유하고 있다는 것을 알고 있으며, 이 진리를 의심하지 않는다.

자기이해 안에서 감정의 진실을 이해하는 욕망은 자기이해를 의심하지 않습니다. 욕망의 이성이 자신의 감정을 비롯해서 세상 모든 감정을 영원무한의 필연성 안에서 그 각각에 고유한 필연성을 영원성 그 자체로 이해하는 한에서, 욕망은 자기이해로부터 자명하게 확인하게 되는 감정의 순수지선에 대해서 절대적으로 의심하지 않는다는 뜻입니다. 이 사실을 『2부』의 정리는 다음과 같이 확인합니다.

제2부 정리 20: 감정의 자기이해

인간 마음의 개념이나 인식은 몸의 개념이나 인식과 마찬가지로 신 안에 존재하며, 인간 마음의 개념이나 인식이 신의 속성인 마음으로부터 연역되는 것과 같이 몸의 개념이나 인식도 신의 속성인 몸으로부터 연역된다. 이처럼 몸과 마음은 신의 속성으로부터 유래하며, 그러한 한에서 이 둘은 동일한 질서(신의 본성의 필연성) 안에 존재하며 그것으로부터 생성된다.

모든 감정이 신적 본성의 필연성으로 존재하도록 결정되어 있다는 사실로부터 모든 감정은 최고의 완전성 안에서 순수지선으로 존재합니다. 쉽게 말해서 그 어떤 감정도 알고 보면 우연성으로 존재하지 않는다는 뜻입니다. 모든 감정은 절대적으로 자기 존재에 관한 필연성을 존재에 고유한 본성으로 갖습니다. 이 사실을 이해하면 다음과 같은 결론은 필연적입니다.

제3부 서문: 순수지선으로 존재하는 감정

자연 안에는 자연의 결함이나 잘못을 탓할 만한 어떠한 일도 발생하지 않는다. 왜냐하면 자연은 항상 동일하므로 그 자신의 힘과 행동 능력 또한 어디서나 동일하기 때문이다. 즉, 자연 안에서 생겨나는 모든 몸 그리고 그 모든 몸이 어느 한 형태에서 다른 형태로 변화하는 것은 자연의 법칙과 규정에 따라서 어디서나 항상 동일하다. 따라서 자연의 모든 몸의 생김과 그것의 변화에 고유한 본성을 이해하기 위해서는 자연의 법칙과 규정에 기초해야 한다. 그러므로 증오, 분노, 질투 등의 감정은 그 자체로 볼 때 이러한 자연의 필연성과 힘에 따라서 발생한다. 이러한 감정들은 자기 존재에 고유한 특정하고 명확한 원인으로 생겨나며, 그러한 한에서 그 각각의 원인으로 이해되어야 한다. 따라서 감정은 자연의 모든 것과 마찬가지로 우리가 반드시 알아야 하는 본성의 필연성으로 존재한다. 그렇기 때문에 이러한 본성을 사색하는 것만으로 우리는 기쁨을 누리게 된다.

그 어떤 감정도 불완전 또는 우연으로 존재하지 않습니다. 감정의 욕망에게 이 인식이 분명하기 때문에 욕망은 오직 감정에 대한 타당한 인식만을 추구하는 능력을 자기 본질 또는 본성으로 갖습니다. 이 사실을 확인하는 스피노자는 "감정은 자연의 모든 것과 마찬가지로 우리가 반드시 알아야 하는 본성의 필연성으로 존재한다. 그렇기 때문에 이러한 본성을 사색하는 것만으로 우리는 기쁨을 누리게 된다."라고 말했습니다. 따라서 감정의 욕망에 고유한 덕 또는 능력은 다음과 같은 이해만을 추구하며 오직 이 이해만으로 자신의 공간과 시간을 살아갑니다.

서문: 감정의 필연성

그 어떤 것도 자기 존재를 실질적으로 결정하는 자기 본성의 필연성 이외 다른 것을 자신의 본성으로 갖지 않는다. 모든 것은 자기 존재의 필연성으로부터 필연적으로 존재하도록 결정되어 있다.

감정의 순수지선을 믿고 배움으로써 감정의 순수지선을 이해하며, 오직 감정의 순수지선으로 살아가는 것이 감정을 느끼며 감정으로 살아가는 인간 감정에 고유한 '덕'이자 '능력'입니다. 이 결론으로부터 우리는 『4부』의 서문에서 첫 번째로 다룬 '인간의 예속'에 대해서 올바른 이해를 확인할 수 있습니다. 인간의 예속은 감정에 대한 타당하지 않은 인식, 즉 감정에 고유한 본성의 필연성을 영원무한으로 이해하지 못하는 것입니다. 그런데 이 문제를 해결하는 방법은 인간의 의지력에 있지 않다는 것을 반드시 확인해야 합니다. 오직 행복을 추구하는 감정의 욕망에 고유한 본질로서 '덕'(德)이 감정에 대한 오해의 비극을 해결하는 방법입니다.

"덕은 자기 본성의 필연성만으로 이해되는 것을 실현하는 능력"입니다. 감정의 자기이해를 행복으로 추구하는 욕망의 '덕'이 인간을 예속으로부터 자유롭게 합니다. 자유의 실현은 '자기이해'(德) 앞에 놓인 목적이 아니라 '자기이해'로부터 자연스럽게 실현되는 것입니다. 이 사실로부터 선(善)은 감정의 자기이해를 추구하는 욕망이라는 결론이 필연적으로 연역됩니다. 이 진실을 고대 중국의 철학자 맹자(孟子)는 '가욕지위선'(可欲之謂善)으로 확인했습니다. 엄격히 말해서 선(善)은 존재의 가치를 평가하는 것이 아니라 감정의 욕망에 고유한 본질 내지는 본성 그 자체의 사실입니다. 오직 감정의 욕망(德)만이 감정의 순수지선을 향한 명백한 인식을 행복으로 추구하기 때문에 욕망의 이성이 선(善)입니다.

스피노자 에티카 4부 공리

제4부 공리: 감정의 유한성

자연 안에 존재하는 모든 것은 자신의 힘과 능력에 관하여 자기 아닌 다른 것에 의하여 압도된다. 즉, 어떤 것이 존재한다면 그것을 파괴할 수 있는 더 강한 것이 존재한다.

분석

이 공리는 스피노자가 『에티카』 〚1부〛의 「정의 2」에서 이미 다룬 주제를 보다 더 적극적으로 설명합니다.

제1부 정의 2: 감정의 유한성

우리는 '어떤 것'을 '유한하다.'라고 말할 수 있다. 그것이 자기와 동일한 본성을 가진 또 다른 어떤 것에 의해서 제한될 때, 우리는 그것을 유한한 것이라고 말할 수 있다. 예를 들면, 몸은 유한한 것이라고 우리가 말할 수 있는데, 그 이유는 우리가 얼마든지 지금의 몸 보다 더 큰 몸을 생각할 수 있기 때문이다. 이와 같은 방식으로 우리는 생각의 유한성을 이해할 수 있다. (왜냐하면 우리는 얼마든지 지금의 생각 보다 더 큰 생각을 생각할 수 있기 때문이다.) 그러나 몸은 생각에 의해서 제한되지 않으며, 생각도 또한 몸에 의해서 제한되지 않는다. (그러므로 몸은 생각에 의해서 유한한 것이 되지 않으며, 그 반대도 마찬가지이다.)

이 정의는 '양태'의 유한성을 다룹니다. 양태는 자신과 동일한 본

성을 가진 다른 양태에 의해서 얼마든지 제한될 수 있다는 것을 뜻합니다. 이것은 우리의 일상에 근거하여 생각해 보면 쉽게 이해할 수 있습니다. 친구와 대화하는 중에 우리는 종종 '내가 잘 못 생각했다. 너의 생각이 맞다.'라고 하지 않습니까? 또는 길을 걷는 중에 머리 위로 큰 돌이 떨어지면 그로 인하여 우리는 머리에 큰 상처를 입게 됩니다. 이것은 영원의 필연성입니다. 이 사실에 기초하여 어느 한 양태는 얼마든지 자기 아닌 다른 양태에 의해서 제한될 수 있다는 것을 쉽게 이해할 수 있습니다.

이제는 몸과 마음의 관계에 대해서 생각해 봅시다. 양태로서 몸은 자신과 또 다른 양태로서 몸에 의해서 제한됩니다. 마음도 이치가 같습니다. 그러나 몸은 신의 속성으로서 '확장되는 몸'의 변용이며, 마음은 신의 속성으로서 '사유하는 마음'의 변용입니다. 이 둘은 서로 다른 본성으로 존재합니다. 이 이유로 몸과 마음은 서로를 제한하지 않습니다. 여기에서 핵심은 마음이 몸을 결정할 수 없다는 사실을 이해하는 것이며, 그 반대의 경우도 마찬가지입니다. 이 말은 마음이 의지력을 발휘함으로써 몸의 생김이나 놀이를 특정한 방식으로 결정할 수 없다는 뜻입니다. 동시에 양태의 몸이 양태의 마음을 결정할 수 없다는 뜻입니다. 왜냐하면 몸의 생김과 놀이는 그것의 기원으로 존재하는 신의 몸을 본성의 필연성으로 갖기 때문입니다. 마음도 동일한 논리입니다.

이처럼 몸과 마음은 서로 다른 것이지만, 이 둘은 본래부터 하나입니다. 단 하나의 실체로서 '신'은 서로 다른 몸과 마음을 자신의 속성으로 갖지만, 그렇다고 해서 신은 서로 다른 두 개의 실체로 분열되지 않습니다. 신은 여전히 '단 하나의 실체'로 존재합니다. 이 존재를 구성하는 속성이 서로 다른 몸과 마음이기 때문에 몸이 변화하면 그와 동일한 질서로 마음도 변화합니다. 즉, 신의 몸이 변화하면, 신의 마음은 그 변화에 대한 개념으로 존재합니다. 이 사실을 부정하면, 신은 몸과 마음이라는 서로 다른 두 개의 실체로 분열됩니다. 아니면, 몸과 마음 이 둘 가운데 단 하나만을 속성으로 갖게 됩니다. 예를 들어서 신의 몸이 신의 마음을 결정한다면, 그 즉시 신의 마음은 자기원인의 실체가 아닙니다. 반대의 경우도 마찬가지입니다.

바로 이 지점에서 우리는 신의 존재가 실질적으로 '감정'이라는 사실을 진리의 필연성으로 인식할 수 있습니다. 우리가 감정에 대한 정의를 '몸의 순간 변화와 동시에 그에 대한 마음의 개념 형성'으로 이해하는 한에서 신의 존재는 사실상 감정입니다. 신은 몸과 마음을 속성으로 가지며, 신의 몸이 자기원인으로 변화하면 신의 마음은 그와 동시에 자기 몸의 변화에 개념을 자기원인으로 형성합니다. 오직 신이 이러한 방식으로 존재할 때, '서로 다른 두 개의 속성으로 구성된 단 하나의 실체'로서 존재할 수 있습니다.

제3부 정의 3: 감정의 기본 정의

《감정》에 관하여, 나는 '몸의 변화'로 이해한다. 마음은 그와 동시에 변화에 대한 '개념'을 형성한다.

그런데 양태로서 몸은 신의 몸이 변용한 것이며, 양태로서 마음은 신의 마음이 변용한 것입니다. 그리고 지금 우리 모두는 몸과 마음으로 존재합니다. 한편, 몸과 마음으로 존재하는 신은 감정으로 존재합니다. 따라서 다음과 같은 결론은 필연적입니다. 신의 존재가 감정이라는 사실로부터 우리가 지금 느끼는 감정은 신의 감정 안에서 영원무한의 필연성으로 존재하는 양태로서 감정입니다. 이 결론으로부터 또 다른 결론이 필연적으로 도출됩니다. 양태로서 감정은 신의 감정이라는 단 하나의 본성 안에서 무한한 방식으로 무한하기 때문에 얼마든지 서로를 제한할 수 있습니다. 왜냐하면 동일한 본성을 가진 것은 서로를 제한할 수 있기 때문입니다.

위의 결론을 보다 더 적극적으로 설명하는 것이 지금 우리가 공부하고 있는 공리입니다.

자연 안에 존재하는 모든 것은 자신의 힘과 능력에 관하여 다른 것에 의하여 압도된다. 즉, 어떤 것이 존재한다면 그것을 파괴할 수 있는 더 강한 것이 존재한다.

이상의 논의를 토대로 하여 이 공리의 핵심을 다음과 같이 두 가지로 정리할 수 있습니다.

① 자연 안에 존재하는 모든 것
: 이것은 신의 속성으로부터 변용되어 존재하는 양태에 국한됩니다. 즉, 양태로서 감정이 자연 안에 존재하는 모든 것입니다.

② 어떤 것을 파괴할 수 있는 더 강한 것의 존재
: 양태로서 감정이 서로에게 제한된다는 것은 얼마든지 어느 한 감정이 다른 감정을 압도하거나 파괴할 수 있다는 것을 뜻합니다.

이제 우리는 특히 위의 '②'에 집중하여 논의를 전개해야 합니다. 사실이 주제는 이미 〖3부〗에서 다루었습니다. 여기에서 중요한 것은 '파괴'의 뜻을 두 가지 측면에서 접근하고 이해하는 것입니다.

②-ⓐ 횡설(橫說)에서의 파괴

다음의 정리를 확인합시다.

제3부 정리 4: 영원무한의 몸

그 어떤 몸도 외부 원인에 의한 파괴 이외 절대적으로 파괴될 수 없다.

이 정리는 우리에게 익숙한 파괴의 개념입니다. 길을 걷는 중에 갑자기 차가 우리 몸을 향해 돌진하여 서로 부딪히게 되면, 그 즉시 우리 몸은 치명적인 상처를 입게 되며 심지어 생명을 잃게 됩니다. 같은 방식으로 감정을 이해할 수 있습니다. 가장 대표적인 예로 부모나 직장 상사가 자식 또는 부하 직원에게 자신의 감정을 강요하는 것을 생각해 볼 수 있습니다. 부모와 자식이 공원 놀이터에 놀러 갔을 때, 집에 돌아가야 할 시간이 되었다고 가정해 봅시다. 자식들은 전혀 집에 갈 생각이 없이 계속해서 놀이터에서 놀고 싶어 합니다. 이때 엄마아빠가 이제 집으로 돌아가자고 말하면, 아이들은 결국 부모의 말을 따르게 됩니다.

②-ⓑ 수설(竪說)에서의 파괴

그러나 우리는 파괴의 뜻을 보다 적극적으로 이해할 수 있습니다.

제3부 정리 43: 감정의 진실

증오의 감정은 자신을 향한 보복적 증오에 의해서 증대되며, 반대로 자신을 향한 사랑에 의해서 파괴된다.

제3부 정리 44: 감정의 진면목

사랑의 품에 완전히 안긴 증오는 사랑으로 변한다. 그리고 이 사랑은 이전의 증오 없이 사랑할 때보다 더 강렬하다.

여기에서 파괴의 의미는 감정이 자기이해를 통해서 자기의 진면목인 생명과 사랑을 깨닫고 자기 본래의 진실 안에서 자기답게 살아가는 축복입니다. 증오나 분노 같은 감정은 자기 존재의 원인을 밖에서 구하기 쉬우며, 그 결과는 폭력과 살인 같이 생명과 사랑을 어기는 것입니다. 이것은 감정의 횡설(橫說)에서 봤을 때 지극히 당연하고 자연스러운 것입니다. 그러나 이 감정이 자신의 수설(竪說)로서 자기 본성의 필연성을 인식하면, 그 즉시 그 감정은 생명과 사랑을 자기 본래의 진실로 깨닫습니다. 이 진실 안에서 분노하며 증오합니다. 스피노자는 이 진실을 "사랑의 품에 완전히 안긴 증오는 사랑으로 변한다."라고 확인합니다.

이상으로 우리는 지금 공부하고 있는 공리의 두 번째 핵심 주제를 다음과 같이 두 가지로 요약할 수 있습니다.

① 감정의 자기이해는 절대적으로 파괴되지 않습니다. 왜냐하면 감정의 자기이해는 사실상 신의 자기이해이기 때문입니다. 신은 자기원인으로 존재하는 단 하나의 실체이며, 영원무한의 필연성으로 생명과 사랑입니다. 절대적으로 파괴되지 않습니다.

---

② 감정의 제한이나 파괴는 오직 감정의 양태에 국한된 것입니다. 그리고 이것은 두 가지 측면에서 이해할 수 있습니다. '횡설 안에서 파괴' 또는 '수설 안에서 파괴'가 그것입니다.

우리가 이 두 가지 구분을 이해할 수 있다면, 당연히 욕망의 이성은 감정의 자기이해 안에서 감정의 파괴를 자신의 행복으로 추구합니다. 이 경우 감정의 파괴는 모든 감정이 자기이해 안에서 자기 본래의 진실로서 생명과 사랑 안에서 자신을 이해하는 것입니다. 내가 나를 볼 때 미워서 죽고 싶을 때가 있고, 내가 남을 볼 때 미워서 죽이고 싶을 때가 있습니다. 그러나 감정의 자기이해로부터 미움은 자기 진실인 생명과 사랑 안에서 미움으로 존재합니다. 미움은 자기 인식의 오류를 파괴하고 본래 자기 진실을 깨닫습니다.

스피노자 에티카 4부 정리

> ### 제4부　정리 1: 신 안에 존재하는 감정
>
> 타당하지 못한 개념 안에 있는 어떤 적극적인 것도 참다운 개념이 참으로 존재하는 한에서 그것의 현존만으로는 무효화되지 않는다.

분석

이 정리에서 가장 중요한 것은 '타당하지 못한 개념'과 '참다운 개념'이 무엇인지 분명하게 이해하는 것입니다. 무엇보다도 몸의 순간 변화로서 '감정'은 존재 그 자체로 '타당하지 못한 개념' 또는 '참다운 개념'으로 판단되지 않습니다. '개념'은 마음이 형성하는 것입니다. 감정의 기본 정의는 무엇보다도 신체적 사건으로서 '몸의 순간 변화'이며, 마음은 자기원인으로 그에 대한 '개념'을 형성합니다. 그렇기 때문에 우리가 '개념'을 타당하지 못한 것 또는 참다운 것으로 판단하는 한, 엄격히 말해서 몸의 순간 변화로서 감정은 개념이 아니므로 몸의 순간 변화는 당연히 타당한 것과 참다운 것의 판단 대상이 아닙니다.

이 논의는 스피노자의 『윤리학』〖 2부〗의 「정의 3」에 근거하여 분명합니다.

제2부 정의 3: 생각하는 나의 마음

《관념(觀念)》이란, 나는 '생각하는 마음'이 형성하는 '정신의 개념'으로 이해한다.

'개념'은 생각하는 마음이 형성하는 것입니다. 몸이 형성하는 것이 아닙니다. 몸은 자기원인으로 순간 변화하며, 그에 따라서 현실적인 감정의 양태로 존재합니다. 마음은 그에 대한 개념을 형성함으로써 감정으로 존재합니다. 개념은 엄격히 말해서 '몸의 사건'이 아니라 '마음의 사건'이라는 점을 우리가 분명히 이해해야 합니다. 감정에 대한 정의와 이해는 스피노자의 『윤리학』 〖3부〗에 있는 「정의 3」에 근거하여 분명합니다.

제3부 정의 3: 감정의 기본 정의
《감정》에 관하여, 나는 '몸의 변화'로 이해한다. 마음은 그와 동시에 변화에 대한 '개념'을 형성한다.

마음은 생각하는 것이며, 이때의 생각은 자기 몸의 순간 변화에 대한 개념입니다. 이 사실에 입각하여 지금 우리가 공부하고 있는 정의가 다루는 주제인 '타당하지 못한 개념'과 '참다운 개념'은 몸의 순간 변화인 감정이 아니라 그에 대한 개념을 형성함으로써 감정으로 존재하는 마음에 관련된다는 것을 확인할 수 있습니다. 이 논점이 이번 정의를 이해하는 핵심 기초입니다.
다음으로 중요한 것은 '타당하지 못한 개념'이 무엇인지 밝히는 것입니다. 이 주제를 위해서 〖2부〗의 「정의 4」와 〖3부〗의 「정의 1/ 2」를 검토하겠습니다.

제2부 정의 4: 타당한 개념, 감정의 자기이해

《타당한 관념》에 관하여, 나는 관념과 그 대상 사이의 관계를 떠나 관념을 그 자체만으로 이해하는 한에서 관념의 내적 특징으로서 참다운 관념의 모든 본질을 가지고 있는 개념으로 이해한다.

타당한 개념은 몸의 순간 변화에 대한 개념을 형성하는 마음(감정)이 그에 고유한 본성의 필연성을 인식하는 것입니다. '감정의 자기이해'가 타당한 개념입니다. 몸의 순간 변화로서 감정은 자기 존재를 결정한 영원무한의 필연성을 본성으로 본래부터 가지고 있습니다. (이 주제는 연구총서 제1권 『감정으로 존재하는 신』에서 자세히 다루었습니다.) 그렇기 때문에 몸의 순간 변화에 대한 개념으로 존재하는 마음(감정)이 자기 존재에 고유한 본성의 필연성으로서 영원무한의 필연성을 명백하게 인식하면 이 인식이 "관념과 그 대상 사이의 관계를 떠나 관념을 그 자체만으로 이해하는 한에서 관념의 내적 특징으로서 참다운 관념의 모든 본질을 가지고 있는 개념"입니다.

감정과학의 **"제2부 정의 4"**에 대한 위와 같은 분석은 〖3부〗의 「정의 1/ 2」에 근거하여 분명합니다.

제3부 정의 1: 영원무한의 필연성

어떤 원인에 의한 결과가 그 원인에 의해서 명석 판명하게 파악될 때, 나는 그 원인을 《타당한 원인》이라고 부른다. 어떤 원인에 의한 결과가 그 원인에 의해서 이해되지 않을 때, 나는 그 원인을 《타당하지 않은 원인》 또는 《부분적인 원인》이라고 부른다.

엄격히 말해서 지금 우리가 현실적으로 느끼거나 경험하는 감정은 몸의 순간 변화에 따른 결과입니다. 이 결과에 대한 이해를 외부 원인이 아닌 그 자체에 고유한 본성으로서 영원무한의 필연성 안에서 형성하면, 이것이 곧 "타당한 원인"입니다. 이와 같은 방식으로 결과로서 감정을 이해하는 것이 감정(마음)의 '자기이해'입니다. 왜냐하면 감정이 자기 안에 본래부터 품고 있는 자기 본성의 필연성 그 자체인 영원무한의 필연성에 대한 명백한 이해는 오직 감정 자신에 의해서 확인되기 때문입니다. 그러한 한에서 감정의 자기이해를 정립하는 감정(마음)은 자기 존재에 관하여 절대적으로 자기원인입니다.

자기이해가 곧 자기 자신을 이해함에 있어서 자기원인이며, 이 사실로부터 자기이해는 절대적인 능동성 및 완전성입니다. 절대적으로 자기 아닌 다른 것에 의존하지 않습니다. 따라서 감정의 자기이해를 형성하는 마음은 자기 존재에 관하여 타당한 원인입니다. 이 사실을 다음의 정의에서 확인할 수 있습니다.

제3부 정의 2: 감정인식의 능동과 수동

나는 '능동적'이라고 말한다. 어떤 것이 우리 안에서 또는 밖에서 발생할 때, 그에 관하여 우리가 타당한 원인이 되면 우리는 능동적이다. 즉 (앞서 언급한 정의에 따라) 우리의 본성만으로 명석하고 판명하게 이해될 수 있는 어떤 일이 우리 내부나 외부에서 발생할 때, 우리는 능동적이다. 반면, 나는 '수동적'이라고 말한다. 어떤 것이 우리 안에서 발생하거나 우리의 본성에서 나올 때, 그에 관하여 우리가 부분적 원인에 불과하다면 우리는 수동적이다.

감정의 자기이해는 능동이며 완전이기 때문에 그 자체로 타당한 개념입니다. 그렇기 때문에 이 이해가 아니면 감정에 대한 이해는 실질적으로 수동이며 불완전이기 때문에 그 자체로 타당하지 못한 개념입니다. 따라서 개념을 '타당한(참) 것'과 '타당하지 못한(거짓) 것'으로 구분할 때, 이것은 실질적으로 몸의 순간 변화로서 감정에 대한 개념을 형성함으로써 감정으로 존재하는 마음이 자기원인 안에서 자기 존재에 고유한 본성을 영원무한의 필연성으로 인식하는지 여부에 의해서 판단됩니다. 감정이 자신의 순수지선을 신적 완전성으로 명백하게 이해하면 타당한 개념이지만, 자신을 선(善), 불선(不善), 또는 악(惡)으로 판단하는 것은 타당하지 못한 개념입니다.

이상, 두 가지 논점에 기초하여 지금 우리가 공부하는 정리를 다시 보겠습니다.

타당하지 못한 개념 안에 있는 어떤 적극적인 것도 참다운 개념이 참으로 존재하는 한에서 그것의 현존만으로는 무효화되지 않는다.

"타당하지 못한 개념 안에 있는 어떤 적극적인 것"이 무엇인지 이해하기 위해서는 스피노자 『에티카』의 『2부』에 있는 다음의 정리를 참고해야 합니다.

제2부 정리 35: 감정 이해의 오류 원인
인식의 오류는 인식의 결핍으로서 타당하지 못한 개념으로 구성된다. 다시 말해서 인식의 오류는 단편적이며 혼란된 개념들을 포함한다.

제2부 정리 36: 마음을 탓하지 않기
타당하지 않으며 혼란스러운 개념은 타당하고 명석 판명한 개념과 마찬가지로 필연성을 따라서 생겨난다.

감정에 대한 타당하지 못한 인식, 즉 타당하지 못한 개념이 '인식의 오류'입니다. 감정이 자기 본성의 필연성으로 자신을 이해하는 것이 아니라 외부 원인에 의해서 자신이 존재하고 활동하도록 결정되었다고 잘못 이해하는 것이 타당하지 못한 개념으로서 인식의 오류입니다. 그런데 이 오류도 엄격히 말해서 자기 존재에 관한 한 영원무한의 필연성을 본성으로 갖습니다. "타당하지 않으며 혼란스러운 개념은 타당하고 명석 판명한 개념과 마찬가지로 필연성을 따라서 생겨난다."라고 정리했습니다. 이 사실이 "타당하지 못한 개념 안에 있는 어떤 적극적인 것"입니다.

이 주제를 쉽게 이해하기 위해서 스피노자는 태양에 대한 우리 몸의 순간 변화를 예로 제시합니다. 우리는 지구와 태양 사이의 거리를 매우 가깝게 느낍니다. 이 감정이 몸의 순간 변화입니다. 여기에는 그 어떤 오류가 없습니다. 그렇다면 인식의 오류는 어디에서 발생하는 것일까요? 지구와 태양 사이의 거리를 가깝게 느끼는 몸의 순간 변화인 감정에 대한 개념을 형성함으로써 감정으로 존재하는 마음이, 자기 몸에 고유한 본성 및 지구와 태양에 고유한 본성에 대해서 묻고 배우지 않고 오로지 변화의 결과인 감정에만 갇혀 그것만으로 자신을 이해하는 것이 인식의 오류로서 타당하지 못한 개념입니다. 따라서 감정의 자기이해가 아니면 필연적으로 인식의 오류입니다.

이러한 인식의 오류는 "참다운 개념이 참으로 존재하는 한에서 그것의 현존만으로는 무효화되지 않는다."는 것이 이번 정리의 핵심입니다. 지구와 태양 사이의 정확한 거리는 우리의 인식 여부에 전혀 상관없이 존재합니다. 마치 우리가 하늘의 태양을 손으로 가린다고 해도 태양은 절대적으로 사라지지 않는 것과 같은 이치입니다. 이 사실로부터 감정으로 존재하며 감정으로 살아가는 우리에게 가장 중요한 것은 감정 스스로 자신에 대한 참다운 인식을 형성하는 감정의 자기이해라는 결론이 나옵니다. 진리의 존재가 인식의 오류를 교정하지 않습니다. 우리가 진리를 명석판명하게 인식할 때 우리 스스로 인식의 오류를 교정하는 축복을 누릴 수 있게 됩니다. 자기이해가 곧 자기구원입니다.

몸의 본성은 영원무한의 필연성으로 영원무한의 생명과 사랑입니다. 이 몸의 순간 변화가 감정이기 때문에 감정은 무한한 방식으로 무한하게 존재함에도 불구하고 절대적으로 생명과 사랑 안에 존재합니다. 이 사실이 감정에 고유한 진실입니다. 이 진실이 "참다운 개념이 참으로 존재하는 한에서 그것의 현존"입니다. 그러나 몸의 순간 변화에 대한 개념을 형성하는 마음(감정)이 자기 진실을 명백하게 이해하지 않으면 마음은 인식의 오류로 흐르게 됩니다. "타당하지 못한 개념 안에 있는 어떤 적극적인 것도 참다운 개념이 참으로 존재하는 한에서 그것의 현존만으로는 무효화되지 않는다."라고 주장하는 근거입니다. 우리는 이 지점에서 학문의 성스러움을 확인할 수 있습니다. 감정의 자기이해가 자기를 구원하는 행복의 방법입니다.

우리는 자연의 한 부분인 한에서 수동적이다. 왜냐하면 자연의 모든 것은 자신과 다른 것에 의해서 파악되는 자연의 일부이기 때문이다.

분석

이 정리에서 중요한 논점은 '자연의 일부(한 부분)'와 '수동'입니다. 우선 '자연의 일부'가 뜻하는 바가 무엇인지 살펴보고 자연스럽게 다음 주제로 넘어가겠습니다. 본격적인 논의에 앞서서 우리는 『1부』의 「정의 2」가 다루는 '유한성'에 대해서 이해할 필요가 있습니다.

제1부 정의 2: 감정의 유한성

우리는 '어떤 것'을 '유한하다.'라고 말할 수 있다. 그것이 자기와 동일한 본성을 가진 또 다른 어떤 것에 의해서 제한될 때, 우리는 그것을 유한한 것이라고 말할 수 있다. 예를 들면, 몸은 유한한 것이라고 우리가 말할 수 있는데, 그 이유는 우리가 얼마든지 지금의 몸 보다 더 큰 몸을 생각할 수 있기 때문이다. 이와 같은 방식으로 우리는 생각의 유한성을 이해할 수 있다. (왜냐하면 우리는 얼마든지 지금의 생각 보다 더 큰 생각을 생각할 수 있기 때문이다.)

'신'은 그 자체의 본성이 영원무한의 필연성입니다. 신은 자기 존재에 관하여 자기가 원인이기 때문에 단 하나의 필연이며, 이것의 속성은 당연히 영원무한입니다. 신은 자기원인 이외 그 어떤 것으로도 자기 존재를 이해할 수 없습니다. 만약 신이 자기 존재에 관하여 자기가 원인이 아닐 수도 있다는 것을 긍정하면, 그 즉시 신은 자기 아닌 다른 것에 의해서 존재가 결정되는 불완전한 수동으로 전락하게 됩니다. 그러나 이는 터무니없는 것이므로 신은 영원무한의 필연성으로 자기 존재에 관하여 자기가 원인입니다. 이점을 분명히 하면, 새롭게 제기되는 질문은 과연 그런 존재가 진실로 있냐는 것입니다.

자기 존재에 관하여 영원무한의 필연성으로 자기가 원인인 '신'이 존재하는가?

이 문제를 해결할 수 있는 유일한 방법은 감정과학이 계속해서 제시하고 있는 우리 자신의 몸에 있습니다. 우리에게 몸이 있다는 사실은 생각하는 우리 자신의 마음 안에서 자명합니다. 이 자명한 사실에 기초하여 마음은 자기 스스로 몸의 생김을 자명하게 이해합니다. 우리 스스로 머리를 숙여 배를 바라보면, 배에는 배꼽이 있습니다. 이것을 보면 우리 마음은 자기 안에서 자기 스스로, 즉 '자기원인'으로 우리 자신의 몸의 존재를 결정한 원인으로서 엄마아빠의 존재를 자명하게 확인합니다. 이때 중요한 것은 원인으로서 엄마아빠의 존재는 우리 몸 밖에 감각적으로 지각되는 것이 아니라는 사실입니다. 마음이 자기 몸에 있는 배꼽을 보면서 자기 스스로 명백하게 엄마아빠의 존재를 확인합니다.

이 확인은 자기 몸에 대해서 자기 스스로 생각하는 사람이면 누구나 할 수 있는 것입니다. 엄마아빠를 한 번도 경험하지 못한 분(고아)도 할 수 있습니다. 고아로 태어나신 분은 엄마아빠에 대한 경험이 전혀 없습니다. 이 경우 그분들은 자신에게 엄마아빠가 없다고 주장할 수 있습니다. 그러나 고아로 태어난 분들도 자기 몸에 있는 배꼽을 보면서 생각해 보면, 자기에게 엄마아빠가 있다는 사실은 영원의 필연성으로 명백합니다. 이 사실은 부모를 여의신 분들에게도 해당됩니다. 엄마아빠가 더 이상 눈에 보이지 않는다고 해도 자기 배꼽을 보면서 생각해 보면, 엄마아빠의 존재는 절대적입니다. 우리 몸에 대한 우리의 생각은 엄마아빠의 존재를 자명하게 이해합니다.

방금 우리는 영원무한의 필연성으로 존재하는 엄마아빠를 확인했습니다. 엄마아빠의 존재를 전혀 경험하지 못한 분들도 자기 몸을 보면서 생각해 보면 엄마아빠의 존재는 영원무한의 필연성입니다. 엄마아빠를 어느 순간 경험할 수 없게 된 분들도 마찬가지입니다. 그렇기 때문에 영원무한의 필연성으로 존재하는 '신'은 지금 우리와 무관하게 존재하지 않습니다. 지금 우리의 몸이 신의 존재를 증명하며, 신의 존재로부터 지금 우리의 몸이 존재하도록 결정되어 있습니다. 엄마아빠가 되지 못한 분들은 많지만, 엄마아빠 없이 존재하는 자식들은 절대적으로 없다는 사실이 이 진리에 대한 명확한 증명입니다.

눈으로 보거나 경험하는 엄마아빠의 존재는 다양합니다. 누구에게는 엄마아빠가 있지만, 다른 누구에게는 엄마아빠가 없습니다. 그러나 우리 모두가 자신의 몸에 대한 생각을 집중하고 그 속에서 스스로 생각해 보면, 엄마아빠의 존재는 영원무한의 필연성입니다. 이 진실 안에서 지금 우리는 무한한 방식으로 무한하게 존재합니다. 이렇게 무한한 몸의 생김을 단 하나의 영원무한의 필연성으로 인식하는 것이 수설(竪說)입니다. 이 사실에 대한 인식이 분명하다는 것은 우리 스스로 자기 몸에 나아가 자기 몸의 생김을 그 자체의 본성으로 이해하는 것이며, 그렇기 때문에 이 이해는 절대적으로 완전하며 동시에 능동입니다.

이 진실 안에서 몸-생김의 무한성을 이해한다는 것은 실질적으로 무한한 방식으로 무한하게 생겨나서 놀이하는 무한한 몸에 나아가 그 각각에 고유한 본성의 필연성을 영원무한으로 이해하는 것입니다. 그 어떤 몸도 절대적으로 우연으로 존재하지 않기 때문에 무한한 몸에 나아가 그에 고유한 본성의 필연성을 이해하는 것이 수설(竪說) 안에서 횡설(橫說)의 무한성을 완전하고 타당하게 그리고 능동적으로 이해하는 것입니다. 수설 안에 존재하는 무한한 몸이 무한하게 서로에게 영향을 주고받습니다. 이것이 '수설의 횡설'입니다. 이때 수설이 분명하면, 횡설에 대한 이해는 외부 원인에 의한 결정이 아니라 그 각각에 고유한 본성의 필연성을 배워서 이해하는 것입니다.

이 이해가 바로 '교차학'입니다. 그렇기 때문에 '교차학'은 절대적으로 '비교학'이 아닙니다. 비교학은 횡설에 갇혀 있지만, 교차학은 횡설을 '수설의 횡설'로 이해합니다. 비교학은 서로 다름을 현상에 국한하여 해석하지만, 교차학은 영원무한의 필연성 안에서 교차에 참여하는 모든 것과 구체적으로 이루어지는 교차의 현상에 고유한 본성을 영원무한의 필연성으로 이해합니다. 그 결과 비교학과 교차학의 결론은 완전히 다른 답을 우리에게 제시합니다. 비교학은 뜻밖에 비교대상에 대한 우열을 '가치 판단'합니다. 반면에 교차학은 교차에 참여하는 모든 것을 순수지선의 다 좋음으로 '사실 확인'을 합니다.

위와 같이 비교학과 교차학을 이해하면, 우리가 왜 교차학을 배워야 하는지 쉽게 알 수 있습니다. 비교학은 결국 어느 것이 보다 더 좋은 것이고 반대로 어느 것이 보다 더 나쁜 것인지 분별합니다. 나쁜 것이 존재한다는 생각에 갇히게 됩니다. 이 생각의 결과 전쟁이 발생하지 않으면 그것이 이상한 것입니다. 왜냐하면 전쟁은 나쁜 것이 존재한다는 전제 하에 그것을 없애겠다는 결정이기 때문입니다. 그러나 교차학에 의하면 본래 다 좋은 것입니다. 이 사실에 어두울 때 비극이 발생합니다. 이에 근거하여 교차학은 교차학을 배우지 않은 결과 인간 세상에 비극이 발생한다고 주장합니다. 따라서 우리는 어느 학문을 연마하는 것이 행복의 방법인지 쉽게 판단할 수 있습니다.

이상의 논의를 토대로 『1부』의 「정의 2」가 다루는 '유한성'으로 다시 돌아가 봅시다. '수설의 횡설'에 근거하여 유한성은 지극히 당연한 것입니다. 단 하나의 영원무한으로 존재하는 신 그리고 이 존재에 고유한 본성으로서 필연성 안에서 무한한 방식으로 무한한 몸이 생겨나고 놀이합니다. 신의 존재가 자연 그 자체이고, 이것을 구성하는 모든 개별적인 몸이 영원무한의 필연성 그 자체인 신 안에서 신의 본성을 따라서 존재하는 무한한 양태입니다. 자연 안에는 무한한 몸이 존재하며, 이렇게 존재하는 몸이 자연 안에서 놀이한다는 것은 그와 동일한 방식으로 존재하는 무한한 몸과 교차한다는 것입니다. 이 진실이 '유한성'입니다.

그러나 문제의 핵심은 이 유한성에 대한 올바른 이해입니다.

① 유한성이 본래부터 교차 안에 있기 때문에 '교차의 논리'로 유한성을

이해할까? 즉, 수설(竪說) 안에서 횡설(橫說)을 이해할까?

② 교차 안에 있는 유한성을 교차가 아닌 '비교'로 이해할까? 즉, 수설 (竪說) 안에 있는 횡설(橫說)이기 때문에 굳이 수설을 인식할 필요 없이 횡설 안에서 서로 다른 몸을 비교함으로써 이해할까?

'수설(竪說) 안에서 횡설(橫說)을 이해'하는 것은 능동이며 완전입니다. 반면에 '굳이 수설을 인식할 필요 없이 횡설 안에서 서로 다른 몸을 비교함으로써 이해'하는 것은 수동이며 불완전입니다. 이 지점에서 지금 우리가 공부하고 있는 정리를 다시 보겠습니다.

우리는 자연의 한 부분인 한에서 수동적이다. 왜냐하면 자연의 모든 것은 자신과 다른 것에 의해서 파악되는 자연의 일부이기 때문이다.

우리는 '자연의 한 부분'으로 존재합니다. 그러나 이 사실을 '수설의 횡설'로 이해하면, 우리는 자연(신) 그 자체와 본래 하나인 진실 안에서 자연의 한 부분으로 존재합니다. 이 말은 자연의 한 부분으로서 우리는 자연의 모든 것을 그 각각에 고유한 본성의 필연성으로 이해할 수 있는 능력을 본래부터 가지고 있다는 것을 뜻합니다. 우리 스스로 현실적으로(횡설) 느끼는 우리 자신의 감정에 대해서 명석판명의 이해를 형성하며, 그와 동일한 논리로 우리 자신의 감정과 무한히 다른 세상(자연) 모든 감정을 명석판명의 이해를 형성하는 것입니다. 감정을 느끼거나 경험할 때 그 각각에 고유한 본성을 영원 무한의 필연성으로 이해하는 것이 지극히 당연하다는 뜻입니다. 이 이해가 수설의 횡설입니다.

그러나 우리는 위의 정리에 충실하여 존재합니다. 신의 본성으로부터 존재하는 무한한 양태 가운데 하나로 존재합니다. 오직 이 사실에 국한하여 우리 자신의 몸(감정)을 이해하고 자연의 모든 몸(감정)을 이해하면, 이 이해가 곧 '우리는 자연의 한 부분인 한에서 수동적이다.'라는 것입니다. 그러나 여기에서 우리가 매우 조심해야 할 것은 이 이해(횡설만으로 양태의 유한성을 이해하는 것)를 비난하거나 타당하지 못한 것으로 규정해서는 안 된다는 것입니다. 물론 이 이해는 '타당하지 못한 인식'이 맞습니다. 그러나 우리가 이 이해를 그렇게 판단하는 이유는 '수설 안에서 횡설'을 이해하는 감정의 자기이해가 인간 정신의 본성으로 본래부터 존재하기 때문입니다.

감정의 자기이해가 아니면 감정은 자기 인식의 오류에 빠지게 됩니다. 이 사실도 영원무한의 필연성 안에 있습니다.

제2부 정리 36: 마음을 탓하지 않기
타당하지 않으며 혼란스러운 개념은 타당하고 명석 판명한 개념과 마찬가지로 필연성을 따라서 생겨난다.

우리는 자연의 한 부분이기 때문에 그것으로 우리 자신과 자연을 이해할 수 있습니다. 이 이해는 '필연성'으로 형성됩니다. 한편, 자연의 한 부분으로 존재하는 우리는 자연(신) 그 자체에 고유한 본성을 이해하며 이 이해로부터 자연의 모든 것을 이해할 수 있습니다. 이 역시 '필연성'으로 존재하는 이해입니다. 그럼에도 불구하고 앞의 이해를 '수동의 불완전'으로 부르는데 반해 뒤의 이해를 '능동의 완전'으로 부르는 이유는 뒤의 이해로 살아갈 때 우리는 절대적으로 최고의 완전성 안에서 최고의 행복을 누리기 때문입니다. 그러한 한에서 앞의 이해는 보다 더 작은 완전성이며, 반대로 뒤의 이해는 보다 더 큰 완전성입니다. 둘 다 필연성 안에 있지만, 어느 것이 참된 필연성 인지 우리 스스로 판단할 수 있어야 합니다.

스피노자는 『3부』의 「정의 2」에서 다음과 같이 말했습니다.

제3부 정의 2: 감정인식의 능동과 수동

나는 '능동적'이라고 말한다. 어떤 것이 우리 안에서 또는 밖에서 발생할 때, 그에 관하여 우리가 타당한 원인이 되면 우리는 능동적이다. 즉 (앞서 언급한 정의에 따라) 우리의 본성만으로 명석하고 판명하게 이해될 수 있는 어떤 일이 우리 내부나 외부에서 발생할 때, 우리는 능동적이다. 반면, 나는 '수동적'이라고 말한다. 어떤 것이 우리 안에서 발생하거나 우리의 본성에서 나올 때, 그에 관하여 우리가 부분적 원인에 불과하다면 우리는 수동적이다.

인식의 능동은 감정의 자기이해이지만, 인식의 수동은 자기이해를 결여한 감정의 정신입니다. 자연의 일부로 존재하는 우리 자신(감정)이 자기와 교차하는 모든 감정을 그 자체에 고유한 본성의 필연성으로 이해함으로써 다 좋은 감정을 확인하는 것이 능동이며 감정의 자기이해입니다. 이 이해가 아니면 그 즉시 인식의 '불완전한'(이미 완전한 이해에 의하여 보다 더 작은 완전한 이해는 그만큼 불완전한 것이므로) 수동입니다. 이 인식에 갇히면 자연의 모든 감정은 자기 존재를 자기 밖의 다른 감정에서 찾게 되며, 그 즉시 자기원인으로 자신을 이해하는 것이 아니라 외부 원인에 의해서 자신의 존재와 본성이 결정되었다고 잘못 이해하게 됩니다. 이 이해를 두고 지금 우리가 공부하는

정리는 '자연의 모든 것은 자신과 다른 것에 의해서 파악되는 자연의 일부'
라고 말합니다.

끝으로 지금 우리가 공부하는 『4부』의 서문을 다시 보겠습니
다.

서문: 인간의 예속

감정의 조절과 통제에 관하여 인간의 무능력을 나는 '예속'이라고 정
의한다. 자신의 감정에 사로잡힌 인간은 감정의 주인이 아니라 운세 같
은 우연성이나 외부 원인에 자신을 맡기며 그런 것에 의해서 자기의 감
정이 결정되었다고 타당하지 못하게 이해하게 된다. 그 결과 자신에게
진실로 좋은 것이 무엇인지 보면서도 뜻밖에 더 나쁜 것을 쫓아가는 충
동에 빠지게 된다.

서문: 감정의 필연성

그 어떤 것도 자기 존재를 실질적으로 결정하는 자기 본성의 필연성
이외 다른 것을 자신의 본성으로 갖지 않는다. 모든 것은 자기 존재의
필연성에 의하여 필연적으로 존재하도록 결정되어 있다.

우리는 자연의 일부입니다. 엄밀히 말해서 지금 느끼는 나의 감
정이 자연의 일부입니다. 자연 안에서 무한한 방식으로 무한하게 존
재하는 감정 가운데 하나입니다. 그러나 기쁨 또는 슬픔 등과 같은
어떠한 현실적인 감정으로 존재하는 내가 '나' 자신을 이해함에 있어
서 수설(竪說) 안에서 이해할 것인가 아니면 횡설(橫說) 안에서 이해
할 것인가는 또 다른 문제입니다. 그리고 이 문제는 지금 나의 감정
이 교차하는 자연의 모든 감정에도 그대로 적용됩니다. 엄격히 말해

서 존재 그 자체가 아니라 존재 그 자체에 대한 올바른 이해가 무엇인지 탐구하는 것입니다.

양태로 존재하기 때문에 양태만으로 이해하는 것도 필연이고, 양태로 존재하기 때문에 실체의 변용으로서 양태를 이해하는 것도 필연입니다. 그런데 그 이해의 결과가 뜻밖에 완전히 다릅니다. '감정의 예속' 아니면 '감정의 자유'가 그것입니다. 지금 나의 현실적인 감정 또는 내가 교차하는 모든 감정이 자연의 한 부분인 '양태'로 존재하기 때문에 그 한계 안에서 이해한다고 하면, 감정의 예속입니다. 반대로 그러한 한계에도 불구하고 모든 양태는 본질적으로 영원무한의 필연성(신 또는 자연) 안에 존재하기 때문에 무한히 다른 양태 각각에 나아가 그에 고유한 본성의 필연성을 이해한다고 하면, 감정의 자유입니다.

감정의 예속은 감정의 선악(善惡)을 판단합니다. 나쁜 감정이 있다고 생각하면, 마음이 편하지 않습니다. 이것이 감정의 예속입니다. 반면, 감정의 자유는 감정의 순수지선(純粹至善)을 확인합니다. 이 확인이 분명하지 않으면 예속입니다. 순수지선으로 존재하는 감정을 선악으로 판단하기 때문에 편견이나 고정관념에 사로잡힌 것입니다. 이 둘 다 필연성으로 존재합니다. 그러나 어떤 필연성 안에서 감정으로 살아가는 것이 보다 더 큰 행복으로 우리를 인도하는지 생각해 보면, 어느 것이 참된 필연성인지 우리 스스로 자명하게 이해합니다. 필연성은 감정의 순수지선을 확인하는 자유입니다.

참고로 이 주제를 잘 설명하신 선생님이 서양 중세 철학을 감정과학으로 확인한 '보이티우스'입니다. 보이티우스 선생님은 자신의 죽음을 앞에 두고 『철학의 위안』을 써서 우리들에게 물려주었습니다. 이 책의 핵심은 조건 필연성과 단순 필연성입니다. '조건 필연성'은 감정의 자기이해로부터 행복이며 자기이해를 결여한 행복으로부터 불행입니다. 행복과 불행이 모두 필연성 안에 있습니다. 이것으로 단순 필연성을 이해할 수 있습니다. 감정의 자기이해가 '단순 필연성'입니다. 오직 이것만이 우리를 최고의 행복으로 인도하기 때문입니다. 그러므로 단순 필연성만이 참된 필연성입니다.

제4부 정리 3: 감정의 유한성

인간이 자기 존재를 지속하는 힘은 제한되어 있으며 외부 원인의 힘에 의하여 무한히 압도된다.

분석

이 정리는 「공리」와 바로 앞에서 검토한 감정의 유한성에 근거하여 쉽게 이해할 수 있습니다. 이 정리의 핵심은 '인간'을 '감정'으로 이해하는 것입니다. 인간은 감정을 느끼며 감정으로 살아가는 '감정'입니다. 지금 '나'의 감정을 떠나서 지금 '나'의 존재가 따로 없다는 사실을 이해해야 합니다. 이 사실에 근거하면, 이 정리는 앞에서 분석한 「공리」를 인간의 감정으로 보다 더 구체화하고 있습니다.

공리: 감정의 유한성
자연 안에 존재하는 모든 것은 자신의 힘과 능력에 관하여 자기 아닌 다른 것에 의하여 압도된다. 즉, 어떤 것이 존재한다면 그것을 파괴할 수 있는 더 강한 것이 존재한다.

끝으로 이 정리의 핵심은 다음에 이어지는 정리에서 확인할 수 있습니다.

제4부   정리 4: 묻고 배우는 감정의 이성

인간이 자연의 일부로 존재하지 않는다는 것은 불가능하며, 그렇기 때문에 자기 몸의 변화를 오직 자기 몸의 본성으로 이해함으로써 그 자신이 타당한 원인으로 존재하는 것도 불가능하다.

분석

자연의 모든 몸에 고유한 생김의 진실은 영원무한의 필연성 안에서 순수지선 그 자체입니다. 당연히 이 진실은 지금 우리 몸의 생김에 고유한 진실이기도 합니다. 이 진실로부터 감정과학의 공리인 '생김의 필연성으로부터 놀이의 필연성'에 근거하여 지금 우리 자신의 몸을 비롯해서 자연을 구성하는 모든 몸이 자신의 놀이에 관하여 영원무한의 필연성 또는 순수지선을 본성으로 갖는다는 것을 분명하게 이해할 수 있습니다. 이 진실을 진리의 필연성으로 인식하는 것이 인간 정신의 성스러움입니다.

이 결론은 〖1부〗의 「정리 15」에 근거하여 명백합니다.

정리 15: 감정의 영원한 필연성

모든 것은 신 안에 있다. 신 없이는 어떤 것도 존재할 수 없으며 인식될 수도 없다.

"모든 것은 신 안에 있다."는 말은 모든 몸은 자기 생김(존재)에 관하여 영원무한의 필연성을 본성으로 갖는다는 것을 뜻합니다. 이 사실로부터 모든 몸은 현실적으로 존재하는 그대로 최고의 완전성 안에서 최고의 선 또는 순수지선으로 존재하며, 그러한 한에서 모든 몸은 그 각각이 무한한 방식으로 무한하게 신의 존재를 증명하는 성스러운 것입니다. 왜냐하면 지금 존재하는 모든 것은 그 자체로 영원무한의 필연성을 증명하기 때문입니다. 이 진리를 스피노자는 『에티카』[1부]의「정리 29」에서 다음과 같이 확인합니다.

제1부 정리 29: 성스러운 나의 감정

세상의 모든 것은 우연이 아니라 신의 본성에 고유한 영원무한의 필연성에 의하여 특정한 방식으로 존재하고 작동하도록 결정되어 있다.

감정으로 존재하는 인간이 자신의 현실적인 감정을 비롯해서 세상 모든 감정을 영원무한의 필연성으로 인식한다는 것은 몸-놀이를 '신'의 본성 안에서 인식한다는 것입니다. 영원무한의 필연성이 신의 존재에 고유한 본성입니다. 이 인식이 분명하면, 감정과학의 공리는 역으로도 성립합니다. '몸-생김'의 본성으로부터 '몸-놀이'의 본성을 이해한다는 것은 역으로 '몸-놀이'의 본성으로부터 '몸-생김'의 본성을 이해한다는 것을 뜻합니다. 이 등식이 성립하는 근거는 몸의 생김과 몸의 놀이가 영원무한의 필연성 안에 존재하기 때문입니다. 몸-놀이로서 감정의 본성을 영원무한의 필연성으로 인식하면, 우리가 감정을 '몸의 순간 변화'로 이해하는 한에서 몸-놀이의 본성은 동시에 몸-생김의 본성입니다.

특히, 현실적인 감정으로 존재하는 '나' 자신이 자기 존재의 필연성으로서 영원무한의 필연성을 인식하고, 이에 기초하여 자기 몸의 필연성을 영원무한으로 이해하는 것을 감정의 자기이해라고 정의합니다. 이 이해를 형성하는 정신의 능력을 감정의 '덕'(德), 또는 감정에 고유한 '욕망의 이성'으로 부릅니다. 감정의 자기이해가 감정에 고유한 능력이며, 이 능력은 실질적으로 자기 본성을 영원무한의 필연성으로 인식하는 것이기 때문에 '이성'입니다. 더 나아가 이 이성은 실질적으로 신에 대한 명백한 인식이기 때문에 감정의 자기이해는 신의 자기이해와 본질적으로 일치합니다. 오직 신만이 자기의 본성을 이해하기 때문에 그러합니다. 스피노자는 이것을 '직관 과학'(Scientia Intuitiva)으로 부릅니다.

이상의 정리로부터 감정으로 존재하는 인간 정신은 자신을 이해함에 있어서 자기원인이며, 그러한 한에서 절대적인 완전성 안에서 절대적인 능동으로 존재한다는 결론이 필연적으로 연역됩니다. 이 사실에 대한 확인이 『3부』의 「정의 2」의 전반부입니다. 이 부분을 밑줄로 표시하면 다음과 같습니다.

제3부 정의 2: 감정인식의 능동과 수동

나는 '능동적'이라고 말한다. 어떤 것이 우리 안에서 또는 밖에서 발생할 때, 그에 관하여 우리가 타당한 원인이 되면 우리는 능동적이다. 즉 (앞서 언급한 정의에 따라) 우리의 본성만으로 명석하고 판명하게 이해될 수 있는 어떤 일이 우리 내부나 외부에서 발생할 때, 우리는 능동적이다. 반면, 나는 '수동적'이라고 말한다. 어떤 것이 우리 안에서 발생하거나 우리의 본성에서 나올 때, 그에 관하여 우리가 부분적 원인에 불과하다면 우리는 수동적이다.

마음은 몸의 순간 변화인 감정을 느낌으로서 감정으로 존재합니다. 이 사실에 기초하여 인간 정신에 고유한 능력의 진실이 무엇인지 확인하고 나면, 『3부』의 「정의 2」의 후반부 및 지금 우리가 공부하고 있는 정리의 핵심이 무엇인지 마침내 깨닫게 됩니다. 이 주제를 쉽게 이해하기 위하여 아래의 정리들을 살펴보겠습니다.

제1부 정의 2: 감정의 유한성

우리는 '어떤 것'을 '유한하다.'라고 말할 수 있다. 그것이 자기와 동일한 본성을 가진 또 다른 어떤 것에 의해서 제한될 때, 우리는 그것을 유한한 것이라고 말할 수 있다.

정리 4: 묻고 배우는 감정의 이성

인간이 자연의 일부로 존재하지 않는다는 것은 불가능하며, 그렇기 때문에 자기 몸의 변화를 오직 자기 몸의 본성으로 이해함으로써 그 자신이 타당한 원인으로 존재하는 것도 불가능하다.

제3부 정의 2: 감정인식의 능동과 수동

반면, 나는 '수동적'이라고 말한다. 어떤 것이 우리 안에서 발생하거나 우리의 본성에서 나올 때, 그에 관하여 우리가 부분적 원인에 불과하다면 우리는 수동적이다.

자연 안에 존재하는 모든 감정은 영원무한의 필연성 안에서 오직이 본성만을 따라서 생겨나고 놀이하지만, 현실적으로 존재하는 감정은 자연 안에서 무한한 감정 가운데 하나로 존재합니다. 그렇기 때문에 현실적으로 존재하는 감정은 자신과 동일한 방식으로 존재하는 무한한 감정과 무한히 교차하며, 그에 따라서 또 다시 무한히 변화함으로써 새로운 현실적인 감정으로 존재합니다. 이것이 감정의 무한성입니다. 무한한 감정은 무한한 교차를 통해서 무한히 새롭게 변화하며, 이렇게 무한한 감정은 또 다시 무한한 교차를 통해서 무한히 새롭게 변화합니다. 이러한 교차를 통해서 감정은 서로에게 영향을 주고받습니다.

이러한 감정의 교차가 감정의 유한성입니다. 그렇기 때문에 「정리 4: 묻고 배우는 감정의 이성」이 주장하는 "인간이 자연의 일부로 존재하지 않는다는 것은 불가능하며, 그렇기 때문에 자기 몸의 변화를 오직 자기 몸의 본성으로 이해함으로써 그 자신이 타당한 원인으로 존재하는 것도 불가능하다."는 것은 필연적입니다. 이 필연적인 결론으로부터 「제3부 정의 2: 감정인식의 능동과 수동」이 주장하는 "어떤 것이 우리 안에서 발생하거나 우리의 본성에서 나올 때, 그에 관하여 우리가 부분적 원인에 불과하다면 우리는 수동적이다."는 것 또한 필연적입니다. 따라서 감정에 대한 타당하지 못한 인식으로서 '감정의 수동'을 인간 정신의 불완전으로 규정해서는 절대 안 됩니다.

우리가 이 논점을 명확하게 이해하면, 우리는 두 가지 측면에서 매우 중요한 행복의 방법을 확인할 수 있습니다. 특히, 아래에 제시되는 두 가지 논점에 근거하여, 우리는 이번에 공부하고 있는 정리가 감정과학의 너그러움을 증명할 뿐만 아니라 감정과학을 연마하는 것이 얼마나 중요한지 밝히고 있다는 것을 알 수 있습니다.

① 감정에 대한 타당하지 못한 인식을 주장할 때에는 당연히 감정에 대한 타당한 인식이 무엇인지 분명하게 제시해야 합니다.

② 이 제시에 이어서 감정에 대한 타당한 인식이 인간 정신의 본성에 고유한 능력이라는 사실을 확인한다면, 우리 인간은 감정에 대한 타당하지 못한 인식을 비난할 것이 아니라 감정에 대한 타당한 인식을 형성하고 사는 것이 얼마나 중요한지 이해해야 합니다. 그 결과 우리는 모든 인간이 감정에 대한 타당한 인식을 확립하고 살아가기를 욕망하며, 그들을 이 인식으로 인도하기 위해서 최선의 노력을 다합니다.

우리는 얼마든지 자신의 감정을 비롯해서 세상 모든 감정을 그 자체에 고유한 본성의 필연성이 아닌 감각적 현상으로 바라봄으로써 해석할 수 있습니다. 더 나아가 감정의 원인을 외부에 존재하는 감정에 둘 수 있습니다. 이 인식은 감정의 유한성에 기원하기 때문에 자연스러운 것이며, 그러한 한에서 이 인식을 비난해서는 안 됩니다. 그러나 그렇다고 해서 감정으로 존재하는 우리가 그러한 방식으로 감정을 이해하도록 결정된 것은 아닙니다. 오히려 우리는 그럼에도 불구하고 얼마든지 감정을 그 자체에 고유한 본성으로 이해할 수 있는 능력을 가지고 있습니다. 이러한 측면에서 감정에 대한 인식의 오류를 비난할 것이 아니라 감정에 대한 타당한 인식을 연마하는 것이 행복을 위한 유일한 방법임을 이해해야 합니다.

그러므로 우리는 스피노자가 이 정리의 「보충」에서 주장한 바를 쉽게 이해할 수 있습니다.

인간은 항상 열정에 필연적으로 예속하며, 또한 자연의 공통된 질서를 다르고 그것에 복종하며, 사물의 본성이 요구하는 만큼 그것에 적용한다.

_스피노자 『에티카』, 제4부 정리 4, 보충.
/강영계 번역(p.251.).

"인간은 항상 열정에 필연적으로 예속"은 감정의 예속을 비난하지 말라는 뜻입니다. 감정에 대한 타당하지 못한 인식을 없애려고 하거나 부정해서는 안 된다는 것입니다. 그러나 스피노자는 결코 이것을 근거로 인간이 감정에 대한 예속으로 살도록 결정되어 있다고 주장하지 않습니다. 스피노자가 『에티카』를 통해서 인간의 행복이 감정에 대한 타당한 인식을 형성하는 인간의 자유에 있다고 주장하는 근본 이유입니다. 인간이 감정의 예속으로 살아가는 것은 지극히 당연하지만, 동시에 인간이 감정의 자유로 살아가는 것도 지극히 당연하다는 것입니다. 우리가 이점을 명확히 이해하면, 우리 인간이 감정과학을 연마해야 하는 이유는 너무나도 명백합니다.

그 어떤 수동적인 감정도 자신의 힘과 그것의 증가 그리고 자기 존재의 지속에 대한 이해를 형성함에 있어서 자신의 존재를 유지하기 위한 자신의 힘에 의존하지 않는다. 수동적인 감정은 오직 자신의 힘과 비교되는 외적 원인의 힘에 의존한다.

분석

우리가 감정에 대한 이해를 '감정의 유한성'에 근거하는 한에서 우리는 절대적으로 감정 그 자체의 진실인 영원무한의 생명과 사랑을 알 수 없습니다. 우리는 감정이 외부 원인에 의하여 존재하고 활동하도록 결정되었다고 잘못 이해하게 되며, 그 결과 감정 본래의 생명과 사랑이 무엇인지 알 수 없게 됩니다. 이렇게 감정을 이해하는 것이 '수동적인 감정'입니다. 그러나 감정의 진실은 영원무한의 필연성 안에서 본래부터 순수지선으로 존재합니다. 그렇기 때문에 순수지선으로 존재하는 감정을 순수지선으로 이해하며 느끼는 것이 감정을 이해하는 정신의 능동이자 힘입니다.

이 진실을 이해하는 방법은 유한성 안에 있는 감정이 자기 본성의 필연성을 자기 스스로 이해하는 것입니다. 이 이해로부터 감정은 자신과 교차하는 모든 감정을 감정의 자기이해로 배워서 이해하게 됩니다. 이때 비로소 감정의 유한성은 감정이 순수지선을 무한하게 즐길 수 있는 행복의 유일한 원천으로 확인됩니다. 그러나 이 이해가 분명하지 않으면 감정은 그 즉시 '수동적인 감정'으로 자신을 가두게 됩니다. 감정의 존재가 수동이라는 뜻이 아니라 최고의 완전성 안에서 최고의 능동으로 존재하는 감정이 뜻밖에 자기의 존재를 수동으로 인식하게 된다는 것입니다. 그 결과 감정은 자신을 비롯해서 자신과 교차하는 모든 감정의 순수지선을 인식할 수 없게 됩니다.

이로부터 감정은 자신 또는 자기 외부에 있는 감정을 조절하거나 통제하려고 합니다. 이 경우 감정에 대한 조절이나 통제는 감정의 유한성 안에 있기 때문에 그 자체의 본성을 인식하는 것이 아닙니다. 감정의 강도나 세기를 조절하거나 통제하는 것이며, 이 노력은 필연성을 향한 인식이 아니라 의지력에 의존합니다. 그러나 감정에 대한 조절이나 통제를 감정 그 자체를 향한 이해가 아닌 의지력에 두면, 우리는 끝내 절망과 마주하게 됩니다. 왜냐하면 감정을 유한성으로 이해하는 한에서 감정은 자신과 다른 무한한 감정들에 의해서 제한되거나 압도당하기 때문입니다. 그렇기 때문에 의지력으로 감정을 조절하거나 통제할 수 있다는 것은 터무니없는 것입니다.

제1부 정의 2: 감정의 유한성

우리는 '어떤 것'을 '유한하다.'라고 말할 수 있다. 그것이 자기와 동일한 본성을 가진 <u>또 다른 어떤 것에 의해서 제한</u>될 때, 우리는 그것을 유한한 것이라고 말할 수 있다.

공리: 감정의 유한성

자연 안에 존재하는 모든 것은 자신의 힘과 능력에 관하여 <u>다른 것</u>
<u>에 의하여 압도</u>된다. 즉, 어떤 것이 존재한다면 그것을 파괴할 수 있는
더 강한 것이 존재한다.

　　감정은 유한성 안에 존재합니다. 이것을 감정의 횡설(橫說)이라고
했습니다. 그러나 그렇다고 해서 감정을 유한성으로 이해하겠다고 결
정하면, 그 즉시 감정은 자신의 수설(豎說)로 존재하는 자기 본성의
필연성을 인식할 수 없게 됩니다. 감정은 자기이해의 정신력(자기 정신
의 본질)을 상실하게 됩니다. 그 즉시 감정은 자신의 기쁨이나 슬픔이
자기 아닌 다른 감정에 의해서 결정되었다는 자기 인식의 오류를 범
하게 됩니다. 이 경우 특히 문제되는 것은 감정이 슬픔에 처하게 됨
으로써 자기 스스로 자신을 부정하거나 동시에 자신을 그러한 처지
로 결정한 외부 감정을 부정하려는 생각에 빠지게 된다는 것입니다.
　　감정이 자기 존재에 고유한 영원무한의 필연성을 인식할 수 없게
되면, 그 즉시 감정은 자기 존재의 순수지선을 알 수 없게 됩니다.
이로부터 감정은 자연을 구성하는 모든 감정의 순수지선을 알 수 없
게 됩니다. 그 결과 감정은 자기 본래의 생명과 사랑을 상실하게 됩
니다. 다 좋은 감정을 모르면 나쁜 감정이 존재한다고 착각하게 되
며, 그로부터 나쁜 감정을 없애겠다는 파괴를 욕망합니다. 더 나아가
그러한 감정을 야기한 외부 원인을 파괴하려 합니다. 이는 감정이
영원무한의 필연성으로 결정된 자기 생명과 사랑의 영원무한에 어둡
게 된 결과입니다. 우리는 이 지점에서 감정의 의지력이 뜻밖에 전
쟁 정신으로 변질되는 것을 확인할 수 있습니다.
　　그러나 감정이 자신의 유한성 안에서 자신을 비롯해서 외부 감정

을 조절하거나 통제하려는 의지력은 다음과 같은 한계 안에 있습니다.

제3부 정리 26: 감정의 자기 사랑

나는 내가 증오하는 것이 슬픔의 감정을 느낄 수 있게 하는 모든 것을 긍정하기 위해 노력하며, 반대로 그것이 기쁨의 감정을 느낄 수 있게 하는 <u>모든 것을 부정하기 위해 노력</u>한다.

제3부 정리 39: 감정의 지행일치

나는 <u>내가 증오하는 사람에게 해를 가하도록 노력</u>하게 되어 있는데, 그것은 오직 그로 인하여 내가 보다 더 큰 해를 그 사람에게 당하지 않을 것이 분명할 때이다.

그러므로 감정의 유한성 안에서 감정을 수동적으로 이해하는 한에서 감정에 대한 조절이나 통제는 그것을 느끼는 한 개인의 의지력이나 노력 등과 같은 것으로 결정되지 않습니다. 감정을 그 자체에 고유한 본성으로 이해하지 못하면, 그 즉시 감정은 자기의 힘과 증대 및 지속을 자신이 교차하는 외부 감정의 힘에 의존하게 됩니다. 이 의존이 '외적 원인의 힘에 의존'입니다. 그러므로 이 정리는 앞의 정리가 다룬 주제로서 감정에 대한 '수동적 인식'(또는 '타당하지 못한 인식')이 무엇인지 설명합니다. 감정의 자기이해가 아니면 감정은 자기 존재가 자기 아닌 다른 감정에 의해서 결정되었다는 인식의 불완전한 수동에 갇히게 됩니다. 이 이상으로 감정의 비극은 없습니다.

참고로 『에티카』의 [3부]에 있는 두 개의 정리를 비교하면 감정과학이 얼마나 행복을 위해서 중요한지 알 수 있습니다.

제3부 정리 58: 참된 기쁨과 욕망
수동적인 감정으로서 기쁨과 욕망 이외, <u>우리가 능동적으로 활동하는 한에서 우리 자신에게 관계하는 기쁨과 욕망의 감정도 존재한다.</u>

제3부 정리 59: 감정의 행복
<u>마음이 능동적으로 활동하는 한에서 여기에 관계되는 모든 감정 가운데 그 어떤 감정도 기쁨과 욕망이 아닌 것으로 존재하지 않는다.</u>

우리가 감정을 수동적으로 이해할 때 그것의 힘은 우리의 활동이나 능력을 얼마든지 압도할 수 있기 때문에 그러한 감정은 우리 안에 강력하게 고정될 수 있다.

분석

감정에 대한 수동적 인식은 감정이 자기 본성이 아닌 다른 것에 의해서 자신이 존재하거나 활동하도록 결정되었다고 착각하는 것입니다. 몸의 순간 변화에 대한 개념을 형성함으로써 감정으로 존재하는 우리의 마음이 자기(감정) 존재의 원인을 자기 몸의 순간 변화에 고유한 필연성이 아닌 자기 몸 외부에 있는 어떤 몸(감정)에 두는 것입니다. 그 결과 감정은 자기 존재가 자기 아닌 다른 외부의 어떤 것에 의해서 결정되었다고 잘못 이해하게 됩니다. 이 이해가 감정을 수동적으로 이해하는 것입니다. 사실상 감정에 대한 타당하지 못한 인식입니다.

이 인식이 "우리의 활동이나 능력을 얼마든지 압도"할 수밖에 없는 이유는 감정(마음)이 이러한 방식으로 자신을 이해하는 한에서 감정(마음)은 자기 본성에 고유한 능력인 자기원인에 근거하여 자기 존재의 완전성을 이해할 수 없기 때문입니다. 감정이 자신을 외부 원인으로 이해하면, 감정은 자기 존재 및 자기 이해에 관하여 더 이상

'자기원인'이 아닙니다. 이것이 감정의 무능력입니다. 자기원인의 능력이 아닌 다른 것에 의존하여 자신을 이해하는 것입니다. 그렇기 때문에 엄격히 말해서 비극의 원인은 감정의 무능력이 아니라 자기 스스로 자기 존재의 필연성을 배우지 않는 '불사불학'(不思不學)입니다. 그 결과가 감정의 예속입니다. 자신의 순수지선을 모르는 것입니다.

감정의 활동이나 능력은 감정의 자기이해입니다. 이 이해가 분명하지 않으면 감정은 몸의 순간 변화에 의한 결과적 양태로 고정됩니다. 이것이 "그러한 감정은 우리 안에 강력하게 고정될 수 있다."는 뜻입니다. 일례로 화가 나서 자살이나 살인한 경우를 생각해 볼 수 있습니다. 우리가 강렬하게 '화'를 느끼면(「정리 4」), '화'는 자기이해를 형성하기 어렵게 되며 그만큼 변화에 의한 결과 또는 양태만으로 존재하게 됩니다(「정리 6」). 그 즉시 감정은 외부 원인에 예속되어 자신을 이해하게 됩니다. 그 결과가 자살이나 살인입니다.

일례로 A가 가장 친구 B에게 사기를 당했다고 생각해 봅시다. A는 평생 동안 모은 자신의 소중한 재산 전부를 잃게 되었습니다. 이때 A는 자신을 자책할 수 있습니다. 자기가 자기를 극도로 증오하며 분노할 수 있습니다. 그 결과 A는 그토록 미워하는 자기 존재를 파괴하기로 결정합니다. 자기 때문에 자신은 사기를 당했고 그 결과 노숙자기 되었다는 것입니다. 한편, 이와 정반대로 A는 B를 죽이겠다는 결정을 할 수 있습니다. 지금 A가 겪고 있는 모든 고통의 원인이 B에게 있다는 것입니다. 이것이 감정의 예속에 따른 비극입니다. 그럼, 이 문제를 어떻게 해결해야 할까요?

지금 우리의 정리에 근거하여 매우 어렵지만, 무엇보다도 A는 자기 존재의 순수지선을 확인해야 합니다. 이 지점에서 A는 더 큰 분노를 느낄 수 있습니다. 그러나 자기 존재의 순수지선은 자기 존재 그 자체에 고유한 진실입니다. 사기를 당하거나 그로 인해 재산을 잃거나 등, 그 어떤 이유로도 자기 존재의 순수지선은 사라지지 않습니다. 존재 그 자체의 진실, 즉 몸-생김의 진실이며 이 진실이 곧 몸-놀이의 진실입니다. 이 사실을 확인하고 나면, A는 자신이 무슨 필연성으로 믿었던 친구 B에게 사기를 당하게 되었는지 묻고 배우며, 마치내 그 원인을 영원무한으로 명명백백하게 이해하게 됩니다. 이 두 가지 방법으로 A는 자신을 구원하고 자유인으로 존재할 수 있습니다.

우리는 절대적으로 감정을 문제시하거나 죄악으로 간주해서는 안 됩니다. 또한 감정에 대한 수동적 이해로부터 발생하는 비극을 당연한 것으로 간주해서도 안 됩니다. 중요한 것은 우리가 감정 앞에서 너그러운 마음을 갖는 것입니다. 자연 안에서 감정은 무한하게 존재하며 동시에 무한하게 교차합니다. 얼마든지 어느 한 감정이 다른 감정을 압도할 수 있습니다. 횡설 안에서 감정의 무한성으로부터 필연적입니다. 그러나 얼마든지 우리는 수설 안에서 감정의 무한 교차를 이해할 수 있으며, 이 이해로부터 감정의 순수지선을 확인할 수 있습니다. 감정에 대한 묻고 배우는 것이 중요합니다.

그러므로 우리가 이러한 방식으로 감정을 이해하는 한에서 우리는 감정의 존재 및 감정의 교차로부터 발생하는 모든 일들에 대해 관대함 또는 관용을 가질 수 있습니다. 이때 비로소 우리는 우리 자신의 감정 및 우리의 감정으로 교차하는 세상의 모든 감정을 감각적 현상이나 어떤 일의 결과가 아닌 그 자체의 본성으로 이해할 수 있습니다. 우리가 이렇게 감정에 대해서 배우면 배울수록 우리는 감정의 예속으로부터 자유로울 수 있는 능력을 보다 더 크게 할 수 있습니다. 감정에 대한 타당한 원인으로 존재할 수 있는 감정 본래의 능력을 키울 수 있습니다.

　참고로 감정이 자기이해를 통해서 자기에 대한 타당한 인식을 형성하는 자기 본래의 능력을 적극적으로 키워나감으로써 그만큼 감정 스스로 자신을 수동적 지위로부터 자유롭게 하는 것을 성리학(性理學)은 '존양'(存養)이라 합니다. 그렇기 때문에 존양의 방법이 따로 존재하지 않습니다. 지금 느끼는 감정 또는 지금 경험하는 감정에 나아가 그에 고유한 본성을 배움으로써 감정 스스로 자신에게 고유한 자기이해의 능력을 크게 하는 것이 존양의 방법입니다. 이 방법을 위한 구체적인 실천방법이 '성찰'(省察)입니다. 그러므로 '존양성찰'(存養省察)은 매순간 새로운 감정이 자기이해(省察)를 통해서 자기이해의 능력을 키우고(存養) 다시 이 능력(存養)으로 매순간 새로운 감정은 자기이해의 능동성(省察)을 보다 더 크게 하는 것입니다.

어느 한 감정은 자신과 반대될 뿐만 아니라 자신 보다 더 강한 감정에 의해서만 억제되거나 파괴된다.

분석

우리는 이 정리를 두 가지 방식으로 이해할 수 있습니다. 하나는 감정의 유한성 안에서 이해하는 것이며, 다른 하나는 감정의 자기이해 안에서 이해하는 것입니다. 감정이 자신의 현실인 유한성으로 자신을 이해하면 감정의 활동 능력은 자기 본성이 아닌 외부의 감정에 의해서 결정됩니다. 이때 감정이 외부 감정에 의해서 자신이 억제되거나 파괴된다고 생각하게 되면, 어떤 일이 발생하게 될까요?

제3부 정리 12: 감정의 욕망

마음은 자신이 할 수 있는 한에서 자기 몸의 활동 능력을 증대시키거나 그러한 변화에 도움을 주는 몸들을 생각하려고 노력한다.

제3부 정리 13: 사랑과 증오

마음이 자기 몸의 활동 능력을 감소시키거나 제약하는 외부의 몸에 대해서 생각할 때, 마음은 자신이 할 수 있는 한에서 그 외부 몸의 존재를 배제하고자 생각한다.

위에서 제시된 두 개의 정리에 입각하여 생각해 보면, 현실적으로 존재하는 감정이 자기를 유한성에 국한하여 이해하면, 그 감정은 뜻밖에 전쟁 정신으로 흘러 파괴를 욕망합니다. 그런데 이 욕망은 감정과학이 추구하는 감정의 자기이해로부터 자연스럽게 발현되는 욕망의 진실과 어긋납니다. 무엇보다도 감정 스스로 자신의 존재와 활동에 관하여 수동적이 됩니다. 감정은 자신의 존재와 활동 능력이 자기 아닌 다른 감정에 종속된다고 착각합니다. 다음으로 감정의 진실인 영원무한의 생명과 사랑을 어기게 됩니다. 이러한 전쟁의 비극은 감정이 자신의 유한성으로 자신을 이해한 결과 궁극적으로 피할 수 없는 것입니다.

그러나 우리는 이 정리를 감정의 자기이해로 이해할 수 있습니다.

제3부 정리 43: 감정의 진실
증오의 감정은 자신을 향한 보복적 증오에 의해서 증대되며, 반대로 자신을 향한 사랑에 의해서 파괴된다.

제3부 정리 44: 감정의 진면목
사랑의 품에 완전히 안긴 증오는 사랑으로 변한다. 그리고 이 사랑은 이전의 증오 없이 사랑할 때보다 더 강렬하다.

A가 B를 향해 증오를 느낄 때 B가 이것을 확인하면, B는 당연히 A를 향해 증오를 느낍니다. 이때 B의 증오가 A의 증오 보다 더 큰 힘을 가지고 있다면, B는 A를 파괴하려 합니다. 그 반대라면 B는 A로부터 회피하려고 합니다. 결국 전쟁과 폭력의 순환을 벗어날 수

없습니다. 그러나 A와 B가 서로를 향한 분노를 자기이해 안에서 참답게 이해하면, 이 분노는 사랑에 의해서 파괴됩니다. 여기에서 '파괴'가 뜻하는 바가 무엇인지 이해하는 것이 매우 중요합니다. 이때의 '파괴'는 A와 B의 증오 가운데 어느 하나가 파괴되어 사라지는 것이 아닙니다. 증오가 자기이해를 통해서 자신의 진면목을 이해하는 것입니다. 핵심은 "사랑의 품에 완전히 안긴 증오는 사랑으로 변한다."는 것입니다.

이러한 결론과 관련하여 아래의 정리를 검토해 봅시다.

제3부 정리 58: 참된 기쁨과 욕망
수동적인 감정으로서 기쁨과 욕망 이외, 우리가 능동적으로 활동하는 한에서 우리 자신에게 관계하는 기쁨과 욕망의 감정도 존재한다.

제3부 정리 59: 감정의 행복
마음이 능동적으로 활동하는 한에서 여기에 관계되는 모든 감정 가운데 그 어떤 감정도 기쁨과 욕망이 아닌 것으로 존재하지 않는다.

현실적으로 존재하는 감정이 자기이해를 통해서 자기 존재에 고유한 본성으로서 '영원무한의 필연성'(같은 것으로서 영원무한의 생명과 사랑)을 자명하게 이해하면, 그 즉시 감정은 자신뿐만 아니라 자신이 경험하는 모든 감정의 순수지선을 영원의 필연성으로 확인합니다. 현실적으로 존재하는 모든 감정이 자기 존재에 고유한 본성으로서 영원무한의 필연성을 이해하면, 감정은 자기이해 안에서 자신의 생김과 놀이가 영원무한의 필연성 안에 있다는 것을 이해합니다. 이 이해로부터 모든 감정은 현실적으로 존재하는 방식 그대로 긍정되며, 이 긍정에 의해서 모든 감정은 영원무한의 생명과 사랑이라는 자기 본래의 자리에 놓이게 됩니다.

그러므로 감정의 자기이해가 가져오는 감정의 파괴는 엄격히 말해서 감정의 존재 자체를 파괴하는 것이 아니나 감정이 잘못 형성한 것으로서 자기 인식의 오류에 대한 파괴입니다. 더 나아가 무한한 방식으로 무한하게 존재하는 감정을 영원무한의 필연성 안에서 믿는 것이며, 이 믿음 안에서 무한한 감정 각각에 나아가 그에 고유한 본성의 필연성을 영원무한으로 배워서 이해하는 것입니다. 이 배움이 감정과학입니다. 자연 안의 모든 감정이 본래부터 영원의 필연성으로 순수지선으로 존재한다는 사실을 이해하는 것입니다.

《요약》

감정의 자기이해가 분명하면 감정은 모든 감정의 순수지선을 이해합니다. 이 이해는 감정에 대한 인식을 선악(善惡)으로 구분하는 '인식의 오류를 파괴'합니다. 감정 스스로 인식의 오류를 뉘우치는 것입니다. 그러나 감정의 자기이해가 분명하지 않으면 감정은 얼마든지 자신과 교차하는 감정 사이에서 얼마든지 '서로의 존재를 파괴'하려는 전쟁의 비극으로 흐를 수 있게 됩니다. 감정의 전쟁과 평화 사이에서 어느 것을 선택하는 것이 현명한 것일까요? 이 질문에 대한 올바른 답을 찾는 것이 욕망의 이성입니다.

제4부   정리 8: 선악(善惡)

선(善)과 악(惡)에 대한 인식은 우리가 그것을 의식하는 한에
서 기쁨 또는 슬픔의 감정에 지나지 않는다.

분석

이 정리를 통해서 우리는 선악(善惡)이 사실상 존재 그 자체의 사
실을 정의하지 않는다는 것을 알 수 있습니다. 우리 몸의 순간 변화
가 다른 몸과의 교차를 통해서 자신의 활동 능력을 증대하게 되면,
우리의 마음은 이 변화를 '기쁨'의 개념으로 형성함과 동시에 교차
안에 있는 모든 몸을 선(善)으로 판단합니다. 그 반대의 경우는 '슬
픔'의 개념을 형성함과 동시에 교차 안에 있는 모든 몸을 악(惡)으로
판단합니다. 그렇기 때문에 감정에 기초한 우리의 선악(善惡) 판단은
엄격히 말해서 존재 그 자체의 진실에 대한 것이 아니라 몸의 순간
변화에 따른 결과적 양태에 불과합니다.

우리가 이 논점을 분명히 하고 나면, 중요한 것은 감정에 근거한
선악(善惡) 판단이기 보다는 어떠한 필연성으로 선악을 판단하는지,
판단에 고유한 본성의 필연성을 배워서 이해하는 것입니다. 왜냐하면
앞에서 언급한 바와 같이 선악 판단은 순간 변화에 대한 감각적 현
상을 해석한 것에 불과하기 때문입니다. 변화 그 자체의 본성에 대
한 판단이 아닙니다. 이러한 관점에서 선악 판단에 생각을 가둘 것

이 아니라 선악 판단에 나아가 그 각각에 고유한 필연성을 인식하는 것이 매우 중요하다는 것을 알 수 있습니다. 그렇지 않으면 다음과 같은 비극이 우리를 기다리고 있습니다.

제3부 정리 28: 욕망의 이성

나는 나의 기쁨에 도움이 될 것이라고 상상하는 모든 것을 실현하려고 노력한다. 그러나 나는 나의 기쁨에 반대되는 것이나 슬픔에 도움이 될 것이라고 상상하는 모든 것을 제거하거나 파괴하려고 노력한다.

우리가 어떤 것에 대해서 기쁨을 느낌과 동시에 그것을 선(善)으로 판단하면, 그 즉시 우리는 그것을 소유하려고 합니다. 반대로 우리가 어떤 것에 대해서 슬픔을 느낌과 동시에 그것을 악(惡)으로 판단하면, 그 즉시 우리는 그것을 파괴하려고 합니다. 이러한 노력은 지극히 이성적입니다. 좋은 것을 좋아하며, 싫은 것을 싫어하는 것이 이성의 욕망이기 때문에 그렇습니다. 그러나 이성으로 존재하는 욕망이 자신의 선악(善惡) 판단에 고유한 본성의 필연성을 인식하지 않으면 뜻밖에 이성의 욕망은 전쟁을 자신의 행복으로 추구합니다.

제3부 정리 20: 필연으로 존재하는 감정

내가 증오하고 있는 어떤 것이 파괴된다고 상상할 때 나는 기쁨을 느끼게 될 것이다.

제3부 정리 32: 이기적인 욕망의 이성

오직 단 사람만이 소유할 수 있는 어떤 것을 한 사람이 즐기고 있다고 내가 느낀다면, 나는 반드시 그가 그것을 소유하지 못하도록 노력할 것이다.

 욕망은 선으로 판단한 것을 소유하려고 합니다. 반대로 악으로 판단한 것을 파괴하려고 합니다. 선을 소유함으로써 기쁨이 보다 더 커진다고 생각하며, 악을 파괴함으로서 슬픔이 보다 더 작아진다고 생각합니다. 선악 판단이 뜻밖에 전쟁으로 변질되는 것을 알 수 있습니다. 그러나 계속해서 강조했듯이 이러한 결론은 그 자체의 본성에서 보면 지극히 자연스럽고 필연적입니다. 욕망의 이성이 자신의 판단에 나아가 그에 고유한 본성을 명백하게 이해하지 않는 한에서 욕망의 이성은 전쟁을 자신의 행복을 위한 최선의 방법으로 선택하게 되어 있다는 뜻입니다.

 그러나 그럼에도 불구하고 우리가 이러한 인식을 타당하지 못한 비이성적인 것으로 부르는 이유는 욕망의 이성이 자신의 본성에 충실하면, 자기이해 안에서 전쟁이 아닌 생명과 사랑을 행복을 위한 최선의 방법으로 선택하게 되어 있기 때문입니다. 이 결론은 두 가지 측면에서 지극히 당연합니다.

① 제3부 서문: 순수지선으로 존재하는 감정

 <u>자연 안에는 자연의 결함이나 잘못을 탓할 만한 어떠한 일도 발생하지 않는다.</u> 왜냐하면 자연은 항상 동일하므로 그 자신의 힘과 행동 능력 또한 어디서나 동일하기 때문이다. 즉, 자연 안에서 생겨나는 모든 몸 그리고 그 모든 몸이 어느 한 형태에서 다른 형태로 변화하는 것은 자연의 법칙과 규정에 따라서 어디서나 항상 동일하다. 따라서 자연의 모든 몸의 생김과 그것의 변화에 고유한 본성을 이해하기 위해서는 자연

의 법칙과 규정에 기초해야 한다. 그러므로 증오, 분노, 질투 등의 감정은 그 자체로 볼 때 이러한 자연의 필연성과 힘에 따라서 발생한다. 이러한 감정들은 자기 존재에 고유한 특정하고 명확한 원인으로 생겨나며, 그러한 한에서 그 각각의 원인으로 이해되어야 한다. 따라서 감정은 자연의 모든 것과 마찬가지로 우리가 반드시 알아야 하는 본성의 필연성으로 존재한다. 그렇기 때문에 이러한 본성을 사색하는 것만으로 우리는 기쁨을 누리게 된다.

위의 인용에 근거하여 우리의 감정이 선악(善惡)을 판단할 때, 중요한 것은 그 판단에 기초하여 자신을 비롯해서 자신과 교차하는 모든 감정을 재단하는 것이 아닙니다. 어떤 것에 대해서 기쁨을 느끼며 그것을 선으로 판단할 때, 무슨 필연성으로 그렇게 느끼며 판단하는지 묻고 배워서 분명하게 알아야 합니다. 마찬가지로 어떤 것에 대해서 슬픔을 느끼며 그것을 악으로 판단할 대, 무슨 필연성으로 그렇게 느끼며 판단하는지 묻고 배워서 분명하게 알아야 합니다. 그 결과 깨닫게 되는 것은 무엇일까요? "자연 안에는 자연의 결함이나 잘못을 탓할 만한 어떠한 일도 발생하지 않는다."는 진리의 필연성입니다. 뜻밖에 욕망의 이성은 자신의 선악 판단을 자기이해에 근거하여 선악이 사실은 순수지선으로 존재한다는 것을 이해합니다.

이 이해의 진실을 "따라서 감정은 자연의 모든 것과 마찬가지로 우리가 반드시 알아야 하는 본성의 필연성으로 존재한다. 그렇기 때문에 이러한 본성을 사색하는 것만으로 우리는 기쁨을 누리게 된다."라고 확인했습니다. 여기에서 '기쁨'은 앞에서 언급한 선악 판단의 기초로서 기쁨이 아닙니다. "이러한 본성을 사색하는 것만으로 우리는 기쁨을 누리게 된다."라고 말했습니다. 감정의 자기이해를 통해서 존재하는 모든 것의 순수지선을 최고의 완전성 또는 신적 완전성 그 자체로 이해한 결과 누리게 되는 학문의 기쁨입니다. 그렇기 때문에 여기에서 기쁨은 몸의 순간 변화에 따른 결과로서 국한된 것이 아닙니다.

스피노자는 이 기쁨을 다음과 같이 정리합니다.

제3부 정리 58: 참된 기쁨과 욕망
수동적인 감정으로서 기쁨과 욕망 이외, <u>우리가 능동적으로 활동하는 한에서 우리 자신에게 관계하는 기쁨과 욕망의 감정도 존재한다.</u>

제3부 정리 59: 감정의 행복
<u>마음이 능동적으로 활동하는 한에서 여기에 관계되는 모든 감정 가운데 그 어떤 감정도 기쁨과 욕망이 아닌 것으로 존재하지 않는다.</u>

"수동적인 감정으로서 기쁨"은 기쁨이라는 감정 가운데 수동으로 존재하는 것이 있다는 뜻이 절대 아닙니다. 기쁨이 자기이해 안에서 자기 본성의 필연성을 이해하는 것이 아니라 몸의 순간 변화에 따른 결과적인 양태만으로 자신을 이해할 때를 가리킵니다. 그러한 한에서 이 기쁨은 자기 존재를 자기 아닌 다른 것에 의존하여 이해하고 있습니다. 이 이해를 수동적인 감정이라고 부릅니다.

반면에 "우리가 능동적으로 활동하는 한에서 우리 자신에게 관계하는 기쁨"이 있습니다. 이 기쁨은 기쁨이라는 감정 가운데 능동으로 존재하는 것이 있다는 뜻이 절대 아닙니다. 감정이 자기이해를 통해서 자신의 순수지선을 이해하고 더 나아가 모든 감정의 순수지선을 이해하면, 이 이상의 기쁨은 없습니다. "마음이 능동적으로 활동하는 한에서 여기에 관계되는 모든 감정 가운데 그 어떤 감정도 기쁨과 욕망이 아닌 것으로 존재하지 않는다."는 것은 바로 이 기쁨입니다. 이 기쁨 안에서 무한한 방식으로 무한한 감정은 존재 그 자체로 순수지선으로 확인됩니다.

본래부터 순수지선으로 존재하기 때문에 본래부터 순수지선으로 존재하고 있다는 사실을 확인하는 것이 참된 기쁨입니다. 감정과학의 기쁨이며, 이 기쁨 안에서 무한한 감정이 다 행복하다는 것이 스피노자의 윤리학에서 핵심입니다. 그러므로 우리는 선악을 몸의 순간 변화에 따른 결과적 양태로 이해할 수 있지만, 보다 엄격한 의미에서 인식의 옳고 그름을 판단하는 학문의 표준 진리로 제시할 수 있습니다.

정의 1: 선(善)

선(善)에 관하여 나는 우리들에게 유용하다고 우리가 확실히 아는 것이라고 이해한다.

정의 2: 악(惡)

악(惡)에 관하여 나는 우리가 어떤 선(善)한 것을 소유함에 있어서 방해되는 것이 무엇인지 우리가 확실하게 아는 것으로 이해한다.

감정의 자기이해는 모든 감정의 진실을 순수지선으로 확인하기 때문에 선(善)입니다. 이 이상으로 우리들에게 유용하다고 확실히 아는 것은 없습니다. 반면, 감정의 자기이해가 아닌 외부 원인에 의존한 이해는 모든 감정의 진실을 순수지선으로 확인하지 않고 저마다 서로 다른 경험이나 그에 의해 고착된 고정관념으로 선악(善惡)을 판단하기 때문에 악(惡)입니다. 우리가 이와 같은 방식으로 인식의 선악을 판단하면, 욕망은 선을 추구하는 자신의 이성에 기초하여 필연적으로 감정의 자기이해를 행복으로 추구합니다.

제4부   정리 9: 감정의 영원무한

어떤 감정에 관하여 그것의 원인이 지금 현재 우리와 함께 있다고 우리가 이해하면, 이 감정은 이러한 방식으로 이해하지 않는 다른 어떤 감정보다 강하다.

분석

몸의 순간 변화는 매 순간이 '지금 현재'입니다. 과거에 대한 감정의 기억도 지금 현재 몸의 순간 변화이며, 미래에 대한 감정의 상상도 지금 현재 몸의 순간 변화입니다. 현재 느끼고 있는 감정도 지금 현재 몸의 순간 변화입니다. 과거-현재-미래가 사실상 지금 현재 존재하는 몸의 순간 변화 안에 있습니다. 그리고 몸의 순간 변화는 엄격히 말해서 외부 원인에 의한 것이 아니라 몸 그 자체에 고유한 본성으로서 영원무한의 필연성 안에 있기 때문에, 감정의 과거-현재-미래가 사실은 영원무한의 필연성 안에 있습니다. 따라서 지금 현재 몸의 순간 변화에 나아가 우리가 그에 고유한 본성의 필연성을 영원무한으로 확인하면, 이 감정에 대한 우리의 이해는 감정의 과거-현재-미래에 구애되지 않고 영원무한의 필연성에 의해서 존재하도록 결정되었다는 사실을 명백하게 이해합니다. 그러므로 이 감정은 이러한 방식으로 이해되지 않은 감정보다 강력합니다.

═══ 제4부   정리 10: 감정의 지금 현재 ═══

멀지 않은 미래에 곧 느끼게 될 것이라고 상상하는 감정에 관하여, 우리는 이 감정을 곧 느끼지 않을 것이라고 상상하는 감정 보다 더 강렬하게 느낀다. 즉 어떤 감정이 지금 상상하는 감정 보다 더 먼 미래에 있을 것이라고 상상하면, 우리는 보다 가까운 미래의 감정을 강렬하게 느낀다. 이와 같은 방식으로 우리는 가까운 과거에 속하는 감정을 현재로부터 보다 더 멀리 떨어져 있는 과거의 감정 보다 더 강렬하게 느낀다.

분석

이 정리는 바로 앞 「정리 9」에 근거하여 쉽게 이해할 수 있습니다. 쉬운 이해를 위해서 우리의 일상에 근거하여 간단한 사례를 제시하면 다음과 같습니다.

① 가까운 미래에 대한 감정:

출장을 마치고 집으로 돌아가는 중에 곧 있을 가족과의 재회를 상상함으로써 기쁨을 느낄 때, 이 감정은 가까운 미래에 대한 감정입니다. 이 감정은 보다 더 먼 미래에 대한 감정보다 더욱 강하게 작용합니다. 이번 출장에 이어서 또 다른 출장이 계획된 경우, 가족과 잠시 이별하는 슬픔을 상상하게 되는데, 이 슬픔은 지금 상상하며 느끼는 기쁨 보다는 약합니다. 이는 기쁨이 슬픔 보다 현재에 더 가깝기 때문입니다. 따라서 가까운 미래에 대한 감정은 보다 더 먼 미래에 대한 감정 보다 훨씬 더 강렬하게 다가옵니다.

② 최근 과거에 대한 감정:

최근에 발생한 사건에 대한 우리의 감정은 먼 과거의 사건에 대한 우리의 감정보다 상대적으로 더욱 더 강하게 작용할 수 있습니다. 예를 들어, 최근에 성공적인 프로젝트를 마친 경우에는 그에 대한 우리의 감정은 자부심과 성취감입니다. 이 감정은 예전의 성공에 대한 감정보다 더 강렬합니다.

그러므로 우리가 위와 같은 방식으로 우리의 일상에 근거하여 감정을 이해하면, 지금 현재의 감정이 가장 소중합니다. 그런데 진짜 지금 현재의 감정은 감정에 고유한 본성으로서 영원무한의 필연성입니다. 그렇기 때문에 과거-현재-미래를 느끼는 감정에 나아가 그에 고유한 본성을 영원무한의 필연성으로 확인하면, 이 확인으로부터 과거-현재-미래의 모든 감정은 영원무한의 필연성 안에서 영원의 현재로 존재합니다. 이 감정이 가장 강렬한 감정이기 때문에 그 어떤 감정도 이 감정의 존재를 파괴할 수 없습니다. 바로 앞의 정리와 지금의 정리에 입각하여 생각해 보면, 지극히 당연한 결론입니다. 그 어떤 감정도 감정의 자기이해로 존재하는 감정을 파괴할 수 없습니다.

참고로 이 결론은 감정의 자기이해가 실질적으로 신의 자기이해와 본질적으로 동일하다는 사실에 근거하여 지극히 당연한 것입니다.

제4부 정리 11: 감정의 필연성

우리가 어떤 것을 필연적이라고 생각하고 있다면 그것을 느끼는 우리의 감정은 그것을 필연적이지 않은 것, 즉 가능적인 것 또는 우연적인 것이라고 생각하며 느끼는 감정 보다 더 강렬하다.

분석

우리 자신의 감정 및 우리가 경험하는 세상 모든 감정을 그 자체에 고유한 본성인 영원무한의 필연성으로 이해하면, 우리는 모든 감정을 영원의 필연성 안에서 최고의 완전성 또는 순수지선으로 확인합니다. 이 사실은 절대적으로 의심의 대상이 되지 않거니와 부정될 수도 없습니다. 왜냐하면 이 사실은 감정의 자기이해에 의해서 타당한 개념 또는 진리의 필연성으로 존재하기 때문입니다. 그리고 우리가 감정에 대한 정의를 '몸의 순간 변화'로 이해하는 한에서, 감정을 영원무한의 필연성으로 이해한다는 것은 몸을 영원무한의 필연성으로 이해하는 것과 실질적으로 동일합니다. 따라서 감정의 자기이해에 근거하여 몸의 순간 변화로서 '감정' 그리고 감정으로 존재하는 '몸 그 자체'는 영원의 필연성 안에서 최고의 완전성으로 순수지선입니다. 이 사실을 파괴하는 것은 절대적으로 존재하지 않습니다.

참고로 이 진실은 〚1부〛의 「정리 33/ 35」에 근거하여 명백합니다.

제1부 정리 33: 성스러운 나의 감정

신에 의하여 존재하도록 결정된 것은 지금 존재하는 방식 이외 다른 방식으로 존재하도록 결정될 수 없다.

제1부 정리 35: 감정의 영원한 필연성

우리가 신의 힘 안에 있는 것으로 생각하는 모든 것은 영원의 필연성으로 존재한다.

우리가 어떤 것을 현재 존재하지는 않지만 존재할 가능성이 있다고 생각한다면 그것을 느끼는 우리의 감정은 그것을 우연적인 것이라고 생각하며 느끼는 감정 보다 더 강렬하다.

분석

감정(어떤 것)을 '우연성'으로 인식한다는 말은 실질적으로 그것의 필연성에 대한 인식을 결여하고 있다는 것을 뜻합니다.

정의 3: 우연성

우리가 개별적인 감정의 본질에 국한하여 생각할 경우, 그것의 존재를 '필연적으로' 긍정하거나 부정하는 그 어떤 것도 찾을 수 없는 한에서, 나는 그 개별적인 감정을 우연한 것이라고 부른다.

반면, 감정(어떤 것)을 '가능성'으로 인식한다는 말은 실질적으로 그것의 필연성에 대한 인식이 명백하지 않다는 것을 뜻합니다.

정의 4: 가능성

개별적인 감정을 생기게 하는 원인에 대하여 생각할 경우, 우리가 그 원인이 그 감정의 존재를 결정했는지 여부를 확실하게 알 수 없을 때, 나는 그 감정을 가능한 것이라고 부른다.

'우연성'(「정의 3」)은 필연성에 대한 개념이 없는 것이지만, '가능성'(「정의 4」)은 필연성에 대한 개념을 명확하게 이해하지 못한 것입니다. 그러므로 어떤 감정을 우연적인 것으로 간주하면, 그것은 미래의 가능적인 감정에 비해 상대적으로 그 정도가 약합니다. 따라서 바로 앞의 「정리 11」에 근거하여 이 정리는 당연한 것입니다.

《요약》

계속해서 확인하고 있듯이 중요한 것은 영원무한의 필연성 안에서 감정을 명명백백하게 인식하는 것입니다.

어떤 것에 대하여 우리가 지금 존재하는 것은 아니지만 우연적으로 존재할 수 있다고 생각하고 있다면, 그것을 느끼는 우리의 감정은 과거에 대한 감정보다 약하다.

분석

계속해서 확인하고 있듯이 어떤 것(감정)을 우연적인 것으로 이해한다는 것은 그것의 필연성에 대한 개념을 결여하고 있다는 것을 뜻합니다. 그리고 어떤 것이 현재에는 존재하지 않지만 우연적으로 존재할 수 있다는 것은 마음이 지금 없는 것으로부터 불확실하고 우연적인 미래를 생각하는 것이며, 당연히 그에 대한 감정도 같은 맥락 속에 있습니다. 바로 이 지점에서 우리는 '희망'이 종종 기쁨 보다는 '희망 고문'으로 여겨지는 이유를 알 수 있습니다. 지금 존재하지 않는 것을 미래 어느 공간과 시간에 존재하게 할 수 있다는 우연성이 희망인데, 이것은 지금 현재에 고문으로 작용합니다. 미래의 희망에 비례하여 지금은 그만큼 결핍이기 때문에 그렇습니다.

'희망 고문'은 사실상 칸트의 순수이성이 무엇인지 그 실상을 정확하게 지적합니다. 칸트의 순수이성은 '선험-종합'으로 살아가는 '후험-종합'입니다. '선험-종합'이란, 공간과 시간의 한계 안에서 감각적으로 지각되는 우리의 모습(현상)이 지금 우리 자신의 객관적 사실이라는 칸트의 거짓말입니다. 감정과학은 선험-종합을 거짓말로 판단합니다. 왜냐하면 '선험-종합'은 우리 몸 그 자체의 진실로서 영원무한의 생명과 사랑을 알 수 없기 때문입니다. 생로병사를 향해 나아가는 것은 영원무한의 생명과 사랑의 몸이 자신의 공간과 시간을 살아가는 모습입니다. 이 사실을 알 수 없는 것이 칸트의 '선험-종합'입니다.

칸트의 '선험-종합'으로 우리 자신을 이해하면, 우리는 감각적으로 우리를 꾸밀 수 있는 자료들을 최대한 많이 모아야 합니다. 이 노력이 '선험-종합'에 기초한 '후험-종합'입니다. 그런데 이 노력은 우리로 하여금 '다른 사람 보다 더 많이!'라는 강박증에 빠지게 합니다. 엄밀히 말해서 자기만족 보다는 다른 사람과의 비교에 빠지게 됩니다. 구체적으로 다른 사람 보다 더 좋은 집, 더 좋은 차, 더 좋은 연봉, 더 좋은 대학, 등 이러한 강박증으로 살아가게 합니다. 문제는 이러한 강박증이 보다 더 큰 강박증을 불러온다는 것입니다. 자신이 설정한 목적지에 도달하는 순간 더 큰 강박증에 빠지게 됩니다. 이것이 칸트가 주장하는 순수이성의 실상입니다.

그러나 참으로 안타깝게도 칸트의 실상을 간파하는 학자가 거의 없습니다. 오직 스피노자만이 칸트에 100여년 앞서서 칸트의 거짓말을 밝혔습니다. 지금 우리가 공부하는 정리가 그것입니다. 스피노자에 의하면 '선험-종합'으로 '후험-종합'을 살아간다는 것은 지금 현재 없는 것을 채우려는 결핍증에 빠지게 합니다. 언제 도래하는지 알 수 없는 먼 미래에 이 결핍을 채우겠다는 환상의 미래가 선험-종합입니다. 이 미래가 바로 "어떤 것에 대하여 우리가 지금 존재하는 것은 아니지만 우연적으로 존재할 수 있다고 생각"입니다. 이런 것을 생각하면 그 즉시 결핍증을 겪게 되는데, 이것이 앞에서 언급한 '희망 고문'입니다. 필연성에 대한 명백한 인식을 결여한 '환상의 미래'를 느끼는 감정의 진실입니다.

칸트는 이 미래를 성취하기 위해서 의지력을 단단히 챙기라고 합니다. 후험-종합에서 최대한 많은 종합을 이룸으로써 선험-종합의 우연을 실현하라고 격려합니다. 이러한 칸트의 생각 또는 순수이성이 얼마나 터무니없는 거짓말인지 밝히는 것이 이번에 공부하는 스피노자의 정리입니다. 이와 정반대로 이런 거짓말을 진리로 포장하는 사기꾼이 바로 헤겔입니다. 헤겔의 정신현상학은 칸트의 순수이성으로 살아가는 것이 무엇인지 밝히는 것입니다. 정신(즉자)은 자기 스스로 자신을 알 수 없기 때문에 밖으로 나아가 다른 정신들과의 만남을 통해서 현상으로 지각된 자신을 현실(대자)로 확인해야 합니다. 그 다음 자신의 현실적 처지(대자)가 세상 모든 정신에게 보편이 되는 '절대정신'(절대지=즉대자)이 될 수 있도록 최선을 다 하라는 것이 헤겔이 그럴싸하게 포장한 '정신현상학'입니다.

헤겔의 정신현상학은 칸트의 순수이성이 주장하는 '선험-종합' 안에서 '후험-종합'입니다. 그런데 헤겔이 정신현상학을 통해서 도달하려고 하는, '지금은 없지만 미래 어느 순간 우연적으로 존재하게 되는 목적이 되는 절대지'를 어떻게 실현할 수 있겠냐는 것입니다. 두 가지가 필요합니다. 하나는 의지력이고, 다른 하나는 전쟁입니다. 의지력으로 자신의 힘을 열심히 길러낸 다음, 그 힘을 전쟁을 통해서 증명할 때, 정신현상은 목적이 되는 절대지를 온 세상에 실현하게 됩니다. 간단하게 말해서, '지금 나의 처지는 한없이 미약하지만 열심히 노력해서 언젠가는 창대하리라!'라는 희망 고문을 변태적으로 즐기며 내일을 향해 열심히 오늘을 전쟁으로 살아가는 것입니다.

그러나 이런 망상이 얼마나 헛되고 공허한 것인지는 이미 충분히 앞에서 논의하였습니다. 이 문제를 해결하기 위해서 우리가 주의 깊게 살펴봐야 하는 것은 지금 공부하는 정리의 나머지 부분입니다.

어떤 것에 대하여 우리가 지금 존재하는 것은 아니지만 우연적으로 존재할 수 있다고 생각하고 있다면, <u>그것을 느끼는 우리의 감정은 과거에 대한 감정보다 약하다.</u>

칸트와 헤겔은 앞을 향해 나아가자고 하지만, 스피노자는 그런 것은 미혹된 망상에 불과할 뿐이며 오히려 확실한 과거를 바라보며 그에 대한 감정을 느끼자고 합니다. 이것이 미래를 우연이 아닌 필연의 축복으로 살아가는 방법이라고 가르쳐줍니다. 지금 우리 몸을 두고 '생김의 과거'를 생각해 봅시다. 그 즉시 우리는 영원무한의 필연성을 자명하게 확인합니다. 엄마아빠의 존재로부터 다시 엄마아빠의 존재를, 그리고 다시 엄마아빠의 존재를 영원무한의 필연성으로 인식합니다. 뜻밖에 지금 내 몸의 생김을 두고 그것의 과거에 대해서 생각해 보면, 자명하게 영원무한의 필연성으로 존재하는 '엄마아빠'를 확인합니다.

다음으로 이렇게 존재하는, 즉 몸-생김에 고유한 영원무한의 필연성으로 존재하는 엄마아빠의 본성에 대해서 생각해 봅시다. 영원무한의 필연성으로 존재하는 엄마아빠는 생명 그 자체입니다. 이 존재가 영원무한의 필연성으로 생명이 아니라면, 얼마든지 죽음으로 존재할 수 있게 되는데, 이는 지금 내 몸의 생명에 근거하여 터무니없는 것입니다. 지금 내 생명에 앞선 동시에 지금 내 생명을 낳은 것은 당연히 '생명'입니다. 이 생명에 앞선 생명의 진실도 당연히 생명입니다. 우리는 생명의 진실을 이것 이외 다른 방식으로 생각할 수 없기 때문에 영원무한의 필연성으로 존재하는 엄마아빠는 생명 그 자체입니다.

다음으로 영원무한의 생명 그 자체로 존재하는 엄마아빠는 사랑 그 자체입니다. 이 논의는 바로 앞의 문단에서 다룬 생명에 대한 논의와 동일한 방식입니다. 생명이 영원무한의 필연성으로 생명을 낳는다는 것은 영원무한의 사랑입니다. 다만 다시 강조할 것은 다음과 같습니다. 지금 우리가 엄마아빠의 진실을 영원무한의 생명과 사랑으로 확인할 때, 이 진실은 지금 존재하는 내 몸에 나아가 그것의 생김을 과거의 필연성으로 생각한 결과입니다. 왜냐하면 내 몸을 낳아준 엄마아빠는 내 존재에 관하여 앞선 존재이며, 그러한 한에서 나에게는 과거이기 때문입니다. 지금 내 몸-생김에 대한 나의 생각이 자기 안에서 자기 스스로 명명백백하게 이해한 것입니다. 감각적인 현상으로 경험하는 엄마아빠를 이야기하는 것이 아닙니다.

어떤 것에 대한 과거, 즉 내 몸-생김으로 존재하는 엄마아빠를 영원무한의 필연성으로 인식하면, 내 몸-생김의 진실은 영원무한의 생명과 사랑입니다. 이 진실 안에서 특정된 공간과 시간을 통해서 지금 내 몸이 생겨났으며(지금 내 몸이 태어났던 공간과 시간), 이 진실 안에 특정된 공간과 시간을 통해서 지금 내 몸이 놀이합니다(지금 내 몸이 살아가는 공간과 시간). 우리가 이 사실을 진리의 필연성으로 명백하게 이해하면, 지금 나에게 존재하는 것은 영원무한의 생명과 사랑입니다. 그렇기 때문에 내가 앞으로 살아갈 미래는 사실상 이 진리 안에 있습니다. 과거-현재-미래가 모두 영원무한의 생명과 사랑 안에 있습니다.

우리와 위와 같은 방식으로 우리의 미래를 이해하면, 우리는 최고의 완전성과 최고의 축복 속에서 과거와 현재 그리고 미래를 살아갑니다. 나의 존재와 가치를 감각적 종합의 총량으로 증명할 이유가 전혀 없습니다. 나 아닌 다른 존재를 그러한 방식으로 평가할 이유도 전혀 없습니다. 그렇다면 칸트와 헤겔을 다음과 같은 질문을 하게 되어 있습니다. 우리의 생김과 놀이의 진실을 영원무한의 생명과 사랑으로 이해할 때, 이 이해로부터 우리가 살아가는 것은 어떤 모습일까? 스피노자는 다음과 같이 답합니다.

① 무엇보다 가장 중요한 것은 우리는 서로를 믿으며 서로를 향한 사랑으로 살아갑니다.

② 존재하는 모든 것은 영원무한의 생명과 사랑 안에서 생겨나고 놀이하도록 영원의 필연성으로 결정되어 있기 때문에 우리 자신을 비롯해서 우리가 경험하는 어떤 것이 생명과 사랑을 어기는 것처럼 보일 때, 우리는 반드시 그것을 불선(不善)이나 악(惡)으로 규정해서는 안 되며, 오히려 그것에 대해서 열심히 묻고 배워야 합니다. 그 결과 모든 것을 영원무한의 필연성 안에서 생명과 사랑으로 확인해야 합니다.

③ 그러므로 우리가 모든 것을 믿음 안에서 배울 때, 우리는 영원무한의 필연성으로 생명과 사랑으로 존재할 뿐만 아니라 그러한 방식으로 살아가게 됩니다. 학문은 무한히 진보하며, 진보의 결과는 오직 생명과 사랑만을 지켜줍니다. 문명의 번영과 행복은 필연적입니다.

우리는 현재를 살아갑니다. 그러나 현재를 살아가는 우리가 과거와 미래를 영원무한의 필연성으로 이해하면, 과거-현재-미래가 모두 영원무한의 필연성 안에 영원으로 존재하고 있다는 것을 깨닫습니다. 우리를 비롯해서 존재하는 모든 것(몸)은 본래부터 영원무한의 생명과 사랑 안에서 생겨나고 놀이하도록 결정되어 있습니다. 이 사실을 모르면 칸트와 헤겔의 거짓말인 환상의 미래에 빠져들어 끝없는 고난과 비극의 질곡에 갇히게 됩니다. 그러나 우리는 전혀 걱정할 필요가 없습니다. 환상의 미래는 환상일 뿐이라서 실체가 없습니다. 우리 안에 본래부터 영원의 필연성으로 존재하는 생명과 사랑의 진실을 이해하며, 이 이해 안에서 믿고 배우면 그 즉시 최고의 행복을 누립니다.

감정을 통제하는 유일한 방법은 감정 스스로 선악(善惡)에 대
한 참다운 인식을 형성함으로써 자신의 순수지선을 느끼는
것이며, 그렇기 때문에 감정 스스로 자신에 대한 올바른 이해
와 동시에 자신의 순수지선을 느끼지 못하면 절대적으로 감
정은 통제되지 않는다.

분석

감정은 영원무한의 필연성을 자기 존재의 본성으로 갖습니다. 왜
냐하면 감정은 몸의 순간 변화인데, '순간 변화'에 앞서는 몸 그 자
체의 진실이 영원무한의 필연성이기 때문입니다. 몸 자체의 생김이
영원무한의 필연성이라면, 이 몸의 놀이 또한 당연히 영원무한의 필
연성입니다. 생김의 진실이 분명하면, 이 진실은 동시에 놀이의 진실
입니다. 생김으로 놀이하기 때문에 그러합니다. 그런데 영원무한의
필연성은 사실상 영원무한의 생명과 사랑입니다. 이 사실을 감정과학
은 '순수지선'(純粹至善)으로 정의합니다. 그러므로 감정을 통제하는
유일한 방법은 감정 스스로 자신의 순수지선을 이해하고 느끼는 것
이며, 이 이해에 근거하여 세상 모든 감정에 고유한 진실을 순수지
선으로 이해하고 느끼는 것입니다.

이때 가장 중요한 것은 그저 입으로 감정의 순수지선을 말하는

것이 아니라 감정 스스로 자신의 순수지선을 명백하게 이해하고 느끼는 것입니다. 감정이 자신의 순수지선을 이해한다는 것은 감정 스스로 지신의 순수지선을 느낀다는 것과 본질적으로 동일합니다. 감정이 자기이해를 통해서 자신의 진실을 순수지선으로 이해한다면, 감정은 당연히 자신의 순수지선을 느끼지 않을 수 없습니다. 그렇지 않으면 감정의 순수지선은 칸트와 헤겔의 거짓말과 다를 바가 전혀 없습니다. 감정이 지금 현재 자신의 순수지선을 이해한다고 하면서 다른 한편으로 아직은 자신의 순수지선을 느낄 수 없다고 주장한다면, 순수지선은 미래의 우연성으로 밀려납니다. 감정이 영원무한의 필연성으로 존재하는 자신의 순수지선을 이해하지 못한 것입니다.

그러므로 감정의 자기이해는 감정의 자기느낌으로 확인됩니다. 감정 스스로 자기 이해의 자명함을 확인하면, 그 즉시 감정은 자기이해를 느끼게 됩니다. 지금 존재하는 감정 스스로 자신의 순수지선을 믿고 배울 때, 감정은 자신의 순수지선을 느낍니다. 이 느낌 안에서 감정은 세상 모든 감정을 믿고 배움으로써 그것의 순수지선을 느낍니다. 감정으로 존재하는 지금 내가 세상 모든 감정의 순수지선을 이해하고 느낄 때, 나는 세상을 순수지선으로 살아가며 느낍니다. 따라서 '머리로는 감정의 순수지선을 이해하겠는데, 그것이 아직은 감정으로 느껴지지 않는다.'라고 생각하는 사람이 있다면, 그이는 아직 감정의 자기이해가 분명하지 않은 것이라는 결론이 나옵니다.

선악(善惡)에 대한 참다운 인식에서 나오는 욕망은 선악에 대한 명백한 인식을 결여한 수많은 감정들의 욕망들에 의해서 억눌리거나 억제될 수 있다.

분석

"선악(善惡)에 대한 참다운 인식에서 나오는 욕망"이란, 감정이 자기 존재에 고유한 본성을 영원무한의 필연성(영원무한의 생명과 사랑)으로 이해하는 한에서 감정의 욕망은 절대적으로 자신의 행복을 위해서 감정의 자기이해만을 추구한다는 사실입니다. '선'(善)은 감정의 자기이해이며, '악'(惡)은 감정이 사실상 존재하지도 않는 외부 원인(외부 감정)에 의존하여 자신을 타당하지 못하게 이해하는 것입니다. 선악에 대한 '참다운 인식'이 뜻하는 바가 무엇인지 반드시 이해해야 합니다. 참고로 이 주제는 본서의 「정의 1/ 2」에서 자세히 다루었습니다.

감정은 자기이해를 통해서 참다운 행복을 누립니다. 이 주제는 바로 앞의 정리에서 다루었습니다. 더 나아가 다음에 제시되는 정리들을 확인합시다.

정리 8: 선악(善惡)

선(善)과 악(惡)에 대한 인식은 우리가 그것을 의식하는 한에서 기쁨 또는 슬픔의 감정에 지나지 않는다.

선(善)에 대한 인식은 감정이 자기이해를 통해서 자신의 순수지선을 이해하는 것이기 때문에 이 이해와 동시에 감정은 최상의 기쁨을 누립니다. 반대로 악(惡)에 대한 인식은 감정이 자기이해를 결여함으로써 자신의 순수지선을 이해하지 못하는 것이므로 이 이해와 동시에 감정은 자신이 본래 누려야할 최상의 기쁨을 누리지 못합니다. 따라서 '선'에 대한 분명한 인식으로부터 누리는 기쁨에 근거하여 이 인식을 결여하는 것은 아무리 좋다고 해도 사실상 '악'입니다. 이것은 마치 술(또는 마약)에 의존함으로써 기쁨을 느끼는 술주정뱅이(마약 중독자)를 바라보는 우리가 그이를 향해 슬픔을 느끼는 것과 같습니다.

그리고 우리가 감정의 자기이해를 감정으로 확인하는 한에서 우리는 다음의 정리에 근거하여 기쁨을 참된(능동) 것과 거짓된(수동)으로 구분하여 말할 수 있어야 합니다. 감정 중에 참된 것과 거짓된 것이 존재한다는 뜻이 절대 아닙니다. 감정은 영원무한의 필연성 안에서 영원무한의 생명과 사랑 또는 순수지선으로 존재합니다. 이렇게 존재하는 감정이 자기이해를 통해서 자신을 올바르게 이해함과 동시에 자기의 사실을 느끼는 기쁨이 참된 것입니다. 반대로 감정 스스로 자기 진실을 몰라서 응당 누려야 하는 최고의 기쁨을 버려두고 자기 밖에서 기쁨을 찾기에 급급하고 그런 것으로 기쁨을 느낀다면 그것은 거짓된 것입니다.

위와 같은 구분을 다음의 정리에서 확인할 수 있습니다

제3부 정리 58: 참된 기쁨과 욕망

수동적인 감정으로서 기쁨과 욕망 이외, 우리가 능동적으로 활동하는 한에서 우리 자신에게 관계하는 기쁨과 욕망의 감정도 존재한다.

제3부 정리 59: 감정의 행복

마음이 능동적으로 활동하는 한에서 여기에 관계되는 모든 감정 가운데 그 어떤 감정도 기쁨과 욕망이 아닌 것으로 존재하지 않는다.

스피노자는 "수동적인 감정으로서 기쁨과 욕망"을 언급하지만, 한편으로 "우리가 능동적으로 활동하는 한에서 우리 자신에게 관계하는 기쁨과 욕망"도 언급합니다. 이 감정은 "마음이 능동적으로 활동하는 한에서 여기에 관계되는 모든 감정"입니다. 따라서 감정의 자기이해는 사실상 감정으로 존재하며, 그것은 영원무한의 생명과 사랑으로 존재하는 기쁨이며 욕망입니다. 감정 본래의 진실로 존재하는 것이 감정의 자기이해입니다. 그러나 감정이 자기이해를 결여함으로써 자기 진실을 모르게 되면, 그 역시 감정으로 존재합니다. 이것이 "수동적인 감정으로서 기쁨과 욕망"입니다.

이 사실로부터 다음과 같은 결론은 필연적입니다.

정리 7: 감정의 전쟁과 평화

어느 한 감정은 자신과 반대될 뿐만 아니라 자신 보다 더 강한 감정에 의해서만 억제되거나 파괴된다.

감정의 자기이해로 존재하는 감정은 얼마든지 감정의 자기이해를 결여하고 있는 감정에 의해서 얼마든지 억제되거나 파괴될 수 있습니다. 그러나 우리가 절대 오해하면 안 됩니다. 앞에서 공부한 다음의 정리를 봅시다.

정리 11: 감정의 필연성
우리가 어떤 것을 필연적이라고 생각하고 있다면 그것을 느끼는 우리의 감정은 그것을 필연적이지 않은 것, 즉 가능적인 것 또는 우연적인 것이라고 생각하며 느끼는 감정 보다 더 강렬하다.

감정이 자기이해를 통해서 자기 진실을 영원무한의 필연성 안에서 영원무한의 생명과 사랑 또는 순수지선으로 이해하는 한에서 이 감정은 자기 본래의 진실로서 신적 완전성 그 자체이며, 그러한 한에서 이 감정의 존재는 절대적으로 파괴되거나 억제되지 않습니다. 그런데 지금 우리가 공부하는 정리는 마치 이 정리(「정리 11)와 모순되는 것 같습니다. 이 지점에서 우리는 서양 고대 철학의 예수 또는 서양 중세 철학의 보이티우스를 배울 필요가 있습니다. 이 두 선생님은 인간의 진실을 영원무한의 필연성으로 가르쳐주었습니다. 그런데 뜻밖에 이 가르침 때문에 그만 죽임을 당합니다. 이 사실을 확인하는 것이 지금 우리가 공부하는 정리의 핵심입니다.

예수와 보이티우스를 바라보는 칸트와 헤겔의 마음 안에는 다음과 같은 생각이 있습니다.

아무리 좋은 말과 가르침을 세상에 전파해도 그 결과가 뜻밖에 억울한 죽음이라는 현상이라면, 그게 과연 좋은 말과 가르침일 수 있을까? 오히려 그런 것들은 현실 세상에 전혀 힘도 없는, 그렇기 때문에 전혀 쓸모없는 것이 아닐까? 아무리 좋은 것이라고 해도 그 결과가 현실을 꾸미는 데에 전혀 도움이 되지 않는다면, 그런 것은 더 이상 학문으로 배우지 않겠다!

이 지점에서 우리는 배운다는 것이 무엇인지 잘 생각해야 합니다. 부모님들이 종종 자식들에 잘 하는 말이 있습니다. '그런 거 공부하면 집이 생겨, 차가 생겨, 돈이 생겨?'라는 것이 대표적입니다. 또는 이런 일이 발생할 수 있습니다. 어느 날 자식이 울면서 집으로 들어옵니다. 부모가 왜 그러냐고 묻자, 자식이 말하기를 '나는 정정 당당하게 열심히 공부해서 시험보고 대학에 지원했는데, 친구들 대부분은 족집게 과외를 배우고 거짓말로 스펙을 쌓아서 내가 가고자 하는 대학에 입학했고 결과적으로 나는 불합격했다.'라고 합니다. 이때 부모는 무슨 생각을 하게 될까요? '평소 참되고 바르게 살아야 한다고 가르쳤는데, 내가 괜히 쓸데없는 말을 했구나.'라고 생각할 수 있습니다.

스피노자는 이렇게 슬퍼하는 자식과 부모를 위로하려고 합니다. 지금 슬퍼하는 자식과 부모는 영원무한의 필연성 안에서 영원무한의 생명과 사랑 또는 순수지선으로 살아가고 있습니다. 이렇게 살아가는 사람은 얼마든지 그와 정반대되는 사람들에 의해서 고난과 슬픔 그리고 비극을 겪을 수 있습니다. 그러나 그렇다고 해서 진리의 힘이 절대 어디 가지 않습니다. 슬픔을 겪고 있는 자식과 부모는 여전히 신적 완전성 안에서 신의 축복 속에 있습니다. 이 행복이 절대 어디 가지 않습니다. 감정의 자기이해로부터 영원의 필연성으로 결정된 진실입니다. 여기에서 다시 시작해야 합니다. 참되고 바르게 살아가는 것입니다. 감정의 자기이해로부터 욕망의 진실입니다.

끝으로 우리는 다윈의 '적자생존'을 이해할 필요가 있습니다. 다원의 적자생존은 '전쟁에서 이길 수 있는 힘을 기르고 보유하는 정글의 법칙'이 아닙니다. 인간은 정글에서 사는 존재가 아니라 문명에서 사는 존재입니다. 다윈의 적자는 자기 스스로 자기 본성의 필연성을 이해함으로써 영원무한의 필연성 안에서 영원무한의 생명과 사랑을 느끼며 살아가는 것입니다. 그렇기 때문에 적자가 영생으로 생존하는 것은 지극히 당연합니다. 이렇게 적자생존의 정신으로 살아가는 사람은 자신의 모든 공간과 시간을 순수지선으로 살아갑니다. 맹자는 이 진실을 인자무적(仁者無敵)으로 확인했습니다.

《요약》

영원무한의 생명과 사랑으로 살아가는 사람은 최고의 완전성 안에서 최고의 축복을 누리는 사람입니다. 욕망의 본성은 자기 존재의 지속과 함께 자기 활동 능력을 크게 하는 것을 행복으로 추구합니다. 그렇기 때문에 욕망은 자기이해를 통한 행복을 욕망하지 않을 수 없습니다. 욕망이 이성으로 존재하는 이유입니다. 따라서 감정이 자기 본성의 필연성을 이해하며 살아가기를 욕망하며, 이 욕망에 근거하여 자신과 세상 모든 것을 본성의 필연성으로 이해함과 동시에 그것의 진실을 순수지선으로 즐길 때, 감정은 자기 삶의 매 순간을 최선의 행복으로 성공합니다. 이것이 성공의 법칙입니다.

선악(善惡)에 대한 인식이 미래에 관련된 경우 이 인식에서
나오는 욕망은 현재 매력적인 것에 대한 욕망에 의하여 보다
쉽게 억눌리거나 억제될 수 있다.

분석

이 정리는 앞에서 살펴본 「정리 15」를 보다 구체적으로 설명합니
다.

정리 15: 욕망의 자기이해
선악(善惡)에 대한 참다운 인식에서 나오는 욕망은 선악에 대한 명백
한 인식을 결여한 수많은 감정들의 욕망들에 의해서 억눌리거나 억제될
수 있다.

우리가 감정의 자기이해를 '감정'으로 이해하는 한에서 지금 우리
가 공부하는 정리는 지극히 당연한 것입니다. 핵심은 무엇일까요?
'나는 의지력이 약하다.' 등과 같은 말로 자기포기에 빠지지 않는 것
입니다. 우리가 감정의 자기이해를 통해서 감정의 진실을 이해함과
동시에 그것을 느낀다고 하여도, 그 역시 엄연히 우리가 느끼는 무
한한 감정 가운데 하나이기 때문에 감정의 유한성을 초월할 수 없습
니다. 우리가 이점을 분명히 하면, 감정의 자기이해로 존재하는 감정

이 자신과 다른 방식(감정에 대한 자기 인식의 오류)으로 존재하는 감정과의 사이에서 얼마든지 제한을 받을 수 있다는 것은 당연합니다. 따라서 "선악(善惡)에 대한 참다운 인식에서 나오는 욕망은 선악에 대한 명백한 인식을 결여한 수많은 감정들의 욕망들에 의해서 억눌리거나 억제될 수 있다."는 것을 피할 수 없습니다.

이 사실을 우리가 이해하면, 다음과 같은 질문에 매우 쉽게 답할 수 있습니다.

아니, 잠깐만! 자기이해로 존재하는 감정이 그렇지 않은 감정에 의해서 제한되는 것이 당연한 것이라면, 지금 우리가 스피노자의 윤리학은 왜 공부합니까? 자기이해로 존재하는 감정이 이렇게 무력할 수 있습니까?

이 질문에 대해서 스피노자는 화를 내기 보다는 오히려 관대한 마음으로 말합니다.

① 감정이 자기이해로 존재하는 한에서 감정은 절대적으로 자기 아닌 다른 감정에 의해서 제한을 당하거나 심지어 예속 상태에 놓이지 않습니다. 감정은 자기이해 안에서 절대적으로 생명과 사랑의 축복을 누립니다.

② 그렇기 때문에 우리가 감정을 '자기이해로 존재하는 감정'과 '그렇지 않은 감정'으로 구분하여 말하면, 그 덕분에 우리는 자기이해로 존재하지 않는 감정으로 하여금 자기이해를 향해 나아가도록 인도할 수 있습니다.

③ 그런데 감정이 자기이해로 존재하는 한에서 감정은 자신의 순수지선을 최고의 완전성으로 누립니다. 이 사실이 분명하기 때문에 감정의 자기이해로 존재하지 않는 감정은 행복을 추구하는 자신의 욕망에 근거하여 반드시 자기이해를 욕망합니다.

④ 따라서 감정이 자기이해 안에서 자신이 누리는 행복이 무엇인지 명백하게 이해하며 그 이해와 동시에 자신의 행복을 진실로 느끼고 나면, 이전까지 자기이해를 행복으로 추구하지 않았던 감정은 자연스럽게 자기이해를 행복을 위한 유일한 방법으로 이해합니다. 이렇게 계속해서 감정이 자기이해를 학습해 나아가면, 자기이해로 존재하지 않는 감정은 더 이상 존재하지 않기 때문에 감정의 자기이해가 억눌리거나 억제되는 일은 절대적으로 발생하지 않습니다.

그러므로 중요한 것은 '감정의 자기이해'를 행복을 위한 방법으로 추구하는 것입니다. 무한한 방식으로 무한한 감정을 느끼거나 경험할 때, 매순간 그 각각의 감정에 나아가 자기이해를 형성하고 그것으로 감정의 순수지선을 확인해야 합니다. 이러한 노력은 의지력에 기초하지 않습니다. 행복을 추구하는 욕망의 이성에 근거하여 지극히 당연하고 쉬운 것입니다. 감정이 자기 안에 본래부터 가지고 있는 신적 축복을 자기 스스로 이해하고 느끼는 것일 뿐입니다. 감정은 감정의 자기이해를 행복을 위한 유일한 방법으로 추구함으로써(왜냐하면 오직 이 방법만이 감정의 순수지선을 확인하기 때문에) 감정은 자신을 비롯해서 세상 모든 감정을 그 자체에 고유한 본성의 필연성으로 이해합니다. 이것이 감정과학의 기쁨입니다.

제4부 정리 17: 감정의 자기사랑

> 선악(善惡)에 대한 참다운 인식이 우연적인 것에 관계된다면,
> 이 인식에서 나오는 욕망은 현재 존재하는 것에 대한 욕망에
> 의하여 보다 쉽게 억눌리거나 억제될 수 있다.

분석

이 정리에서 '우연적인 것'은 존재 그 자체의 진실이 아닙니다. 존재하는 것은 영원무한의 필연성을 본성으로 갖습니다. 모든 것은 영원무한의 필연성 안에서 영원무한의 필연성으로 존재합니다. 이에 근거하여 '우연적인 것'은 엄격히 말해서 존재의 사실이 아니라 존재의 사실을 명백하게 인식하지 못한 것입니다. 우리가 이 점을 명확히 하면, "선악(善惡)에 대한 참다운 인식이 우연적인 것에 관계된다면"은 '어떤 것'을 영원무한의 필연성으로 인식하려고 노력하지만 끝내 영원무한의 필연성을 부정하고 있다는 것을 뜻합니다. 따라서 이 감정은 유한성 안에서 얼마든지 자신과 다른 감정에 의해서 억눌리거나 억제될 수 있습니다.

영원무한의 생명과 사랑 안에서 우리의 몸이 생겨나고 놀이한다는 사실을 명확하게 인식하지 못하고, 더 나아가 그런 것은 없다고 생각하기 시작하면, 우리는 눈앞의 이익에 급급하게 됩니다. '내가 성인군자야?'라고 말하거나, '경우에 따라서는 도둑질도 할 수 있다.'

고 자신을 잘못을 정당화하는 것입니다. 이런 잘못된 생각이 다음과 같은 비극을 초래합니다. 영원의 사랑을 약속한 부부가 사랑을 어기기 시작하며, 한 국가를 구성하는 다양한 계층이 서로를 시기하기 시작하며, 국가 간에 전쟁이 발생합니다. 눈앞의 이익을 위해서 자기 생명의 진실을 버리는 것입니다.

이러한 비극적인 사례들을 종합함으로써 우리는 감정과학을 비웃으며 그것의 무기력을 조롱할 수 있습니다. 과연 인간 가운데 생명과 사랑의 진실로 살아간 사람이 얼마나 되냐는 것입니다. 심지어 그런 사람이 과연 존재하기는 하냐고 묻습니다. 그러나 스피노자는 절대로 자포자기에 흔들리지 않습니다. 다음과 같이 말합니다.

이로써 나는 왜 인간이 참다운 이성보다 오히려 의견에 따라 움직이게 되는지, 그리고 왜 선과 악의 참다운 인식이 마음의 동요를 일으키며, 또 흔히 모든 관능적인 욕구에 정복되는지에 대한 원인을 제시하였다고 믿는다.

_스피노자 『에티카』, 제4부 정리 17, 주석.
/강영계 번역(p.260.).

스피노자는 절대적으로 인간을 포기하지 않습니다. 인간이 모든 감정에 대해서 자기이해를 형성하지 않는 한, 우리는 감정을 '자기이해로 존재하는 감정'과 '그렇지 않은 감정'으로 나누어 말할 수 있어야 하며, 이 사실로부터 자기이해로 존재하는 감정이 그렇지 않은 감정에 의해서 억제될 수 있는 것은 당연한 것입니다. 자기이해의 감정이 무기력한 것이 아니라 감정의 유한성 안에서 그러한 일이 발생합니다. 그리고 인간은 절대적으로 모든 감정을 자기이해로 형성할 수 없습니다. 왜냐하면 지금 '나'는 엄격히 말해서 '실체의 변용'이기 때문입니다. 스피노자가 이 정리 및 앞의 정리를 근거로 인간의 불완전이나 무능력을 주장하지 않는 이유입니다. 오히려 그러한 주장이 필연성에 어두운 것이라고 강조합니다.

이 지점에서 칸트와 헤겔 같은 거짓말쟁이들은 화를 내면서 다음과 같이 말합니다.

도대체 감정과학을 연마하는 것이 무슨 소용이 있는 것입니까?

이 질문에 대한 답은 바로 앞의 정리에서 했습니다. 우리는 우리 자신에게 너그러워야 합니다. 감정은 어떤 이유에서도 자신을 사랑해야 합니다. 그러나 오해하면 안 됩니다. 얼마든지 자기이해를 하지 않고 살아도 좋다는 뜻이 아닙니다. 우리는 우리 자신의 순수지선에 대해서 흔들릴 수 있으며, 다른 존재에 대해서도 마찬가지입니다. 이것을 근거로 우리 자신을 자포자기로 끌고 가면 안 됩니다. 오히려 그럴수록 우리는 계속해서 감정에 대한 타당한 인식을 정립하는 감정의 자기이해를 연마해야 합니다. 이렇게 학문을 연마하며 살아가면 우리는 우리 자신의 삶에 있어서 자유를 누리게 됩니다.

기쁨과 슬픔이라는 감정만을 두고 봤을 때, 기쁨에서 나오는 욕망은 슬픔에서 나오는 욕망 보다 더 강하다.

분석

기쁨은 몸의 순간 변화가 몸의 활동 능력을 이전 보다 더 강하게 할 때 느끼는 것입니다. 반면, 슬픔은 몸의 순간 변화가 몸의 활동 능력을 이전 보다 더 약하게 할 때 느끼는 것입니다. 예를 들어서 운동을 통해 몸의 상태를 건강하게 하면, 이것이 곧 몸의 활동 능력을 크게 하는 것입니다. 그 결과 우리는 얼마든지 원하는 곳에 자유롭게 여행을 갈 수 있습니다. 반대로 코로나에 걸리게 되면 몸의 활동 능력이 심각하게 감소합니다. 식사도 제대로 할 수 없고 자리에 일어나 걷기도 매우 어렵습니다. 마음은 이러한 몸의 순간 변화 및 그에 따른 새로운 변화 상태에 대한 개념을 형성함으로써 자기 몸과 동일한 질서로 기쁨 또는 슬픔의 감정으로 존재합니다.

이 사실은 『3부』의 「정의 3」과 「요청 1」에 근거합니다.

제3부 정의 3: 감정의 기본 정의

《감정》에 관하여, 나는 '몸의 변화'로 이해한다. 마음은 그와 동시에 변화에 대한 '개념'을 형성한다. 즉, 몸의 변화와 동시에 마음은 그에 대한 개념을 형성하며, 이 개념과 함께 몸은 자신의 활동 능력을 증대시키

게 되거나 감소시키게 되며, 또는 자신의 활동 능력을 보다 더 크게 할
수 있게 되거나 억제될 수 있게 된다.

제3부 요청 1: 감정의 무한 새로움

인간의 몸은 여러 가지 방식으로 변화될 수 있다. 그로 인하여 몸의
활동 능력은 증가되거나 감소될 수 있다. 또한 몸은 자신의 활동 능력이
증가하거나 감소하지 않는 여러 다른 방식으로도 변화할 수 있다.

몸이 순간 변화를 통해서 새로운 변화로 존재하면, 마음도 자기
원인으로 그러한 변화에 대해서 개념을 형성합니다. 몸과 마음은 감
정으로 존재합니다. 그런데 감정의 욕망은 기쁨과 슬픔 가운데 영원
의 필연성으로 기쁨을 욕망합니다.

제3부 정리 7: 욕망의 진실

각각의 몸이 자신의 '욕망'(conatus)으로 자기 존재를 유지하려는
노력은 그 몸 자신의 현실적 본질이다.

제3부 정리 12: 감정의 욕망

마음은 자신이 할 수 있는 한에서 자기 몸의 활동 능력을 증대시키
거나 그러한 변화에 도움을 주는 몸들을 생각하려고 노력한다.

이상의 논의에 근거하여 우리는 인간의 덕(德)이 무엇인지 이해할
수 있습니다. 스피노자는 덕을 다음과 같이 정의합니다.

정의 8: 감정의 덕과 능력

나는 덕과 능력을 같은 것으로 이해한다. 우리가 덕을 인간의 본질이나 본성으로 이해하는 한에서 덕은 자기 본성의 필연성만으로 이해되는 것을 실현하는 능력이다.

"덕은 자기 본성의 필연성만으로 이해되는 것을 실현하는 능력"입니다. 이 능력은 심오한 것이 아닙니다. "마음은 자신이 할 수 있는 한에서 자기 몸의 활동 능력을 증대시키거나 그러한 변화에 도움을 주는 몸들을 생각하려고 노력한다."는 것으로서 지극히 평범하고 일상적입니다. 몸의 활동 능력을 증대시키는 기쁨을 추구하는 것이 감정의 욕망에 고유한 본성의 필연성이며, 그러한 한에서 욕망은 '이성'입니다. 따라서 지금 우리가 검토하는 정리는 진리의 필연성으로 존재합니다.

위의 결론에 입각하여 스피노자는 다음과 같은 세 가지 주요 논점을 제시합니다.

첫째로 덕의 기초는 고유한 유(有)를 유지하려는 노력 자체이며, 행복은 인간이 자신의 유를 유지할 수 있는 것 안에서 성립한다. 둘째로 덕은 그 자체를 위해서 추구되어야 하며, 덕 자체보다 더 가치 있는 것 또는 우리들에게 덕보다 더 가치 있는 것, 그것 때문에 덕을 추구해야만 한다는 것은 결코 존재하지 않는다는 결론이 나온다. 마지막 셋째로 자살하는 사람은 마음이 무력하며 자기의 본성과 모순되는 외적 원인에 전적으로 정복당한 사람들이라는 결론이 나온다.

_스피노자 『에티카』, 제4부 정리 18, 증명.
/강영계 번역(p.261~262.).

요약하면, 감정은 '기쁨'으로 자기 존재를 확인하기를 욕망하며,

이것 이상의 가치는 없다는 것입니다. 쉽게 말해서 좋은 것을 좋아하는 감정의 욕망이 그 자체로 '이성'이며, 그렇기 때문에 이성적 욕망은 인간이 자신의 행복을 위해 본래부터 가지고 있는 유일한 방법이라는 것입니다. 이 요약에 기초하여 다음의 정리를 보겠습니다.

제3부 정리 53: 감정의 기쁨

마음(감정)은 자기 자신과 자신의 활동 능력을 생각할 때, 기쁨을 느낀다. 그리고 마음(감정)이 자신과 자신의 활동 능력을 보다 더 명백하게 느끼면 느낄수록 보다 더 큰 기쁨을 느낀다.

제3부 정리 54: 감정의 자기이해

마음(감정)은 자신의 활동 능력을 긍정하는 것만을 생각하고자 노력한다.

마음은 몸의 순간 변화에 대한 개념을 형성함으로써 감정으로 존재합니다. 이 마음(감정)이 다시 자신(감정=몸의 순간 변화)에게 나아가 그에 고유한 본성의 필연성을 확인하는 것이 '감정이 자기이해'입니다. 이 이해는 능동성을 본질로 갖습니다. 왜냐하면 감정(마음)이 자기 아닌 다른 것에 의존함이 없이 자기원인에 의하여 자기 본성의 필연성을 이해하기 때문입니다. 그러한 한에서 감정은 자기이해에 관하여 능동성이며, 더 나아가 이 능동성은 영원무한의 필연성을 향한 명백한 인식을 형성하기 때문에, 감정은 타당한 인식을 형성합니다. 따라서 이 인식은 마음(감정)으로 하여금 자신의 활동 능력을 보다 더 크게 하며, 이와 동시에 마음은 기쁨을 느낍니다.

이렇게 감정의 자기이해를 통해서 감정 스스로 자신의 진실을 이해하며 느끼면, 감정은 자신의 욕망에 근거하여 오직 '자기이해'만을 행복으로 추구합니다.

제3부 정리 58: 참된 기쁨과 욕망

수동적인 감정으로서 기쁨과 욕망 이외, 우리가 능동적으로 활동하는 한에서 우리 자신에게 관계하는 기쁨과 욕망의 감정도 존재한다.

제3부 정리 59: 감정의 행복

마음이 능동적으로 활동하는 한에서 여기에 관계되는 모든 감정 가운데 그 어떤 감정도 기쁨과 욕망이 아닌 것으로 존재하지 않는다.

이상의 논의에 근거하여 감정의 이성은 자기이해를 기쁨을 추구한다는 결론이 나옵니다. 감정은 자기이해를 통해서 영원무한의 필연성으로 자신의 본질을 영원무한의 생명과 사랑 또는 순수지선으로 확인합니다. 이 이상으로 감정의 욕망은 기쁨을 느낄 수 없기 때문에 감정의 욕망이 자기이해를 자신을 위한 최고의 행복으로 추구하는 것은 당연합니다. 그러므로 지금까지 논의한 두 가지 핵심 논점, 즉 감정의 이성은 기쁨을 추구하며 그렇기 때문에 감정의 이성은 오직 자기이해만을 기쁨으로 추구한다는 사실에 근거하여 다음과 같은 결론은 필연적입니다.

우리가 감정에 나아가 '자기이해로 존재하는 감정'과 '그렇지 않은 감정'으로 구분하여 말하는 데에 성공하면, 자기이해가 분명하지 않은 상태로 존재하는 감정은 자신의 이성적 욕망에 근거하여 필연적으로 자기이해를 자신의 행복을 추구합니다. 따라서 감정으로 존재하는 우리가 감정의 자기이해를 통해서 자신의 감정의 지복(至福)이 무엇인지 명백하게 이해하고 그것을 느낀다면, 매순간 무한한 방식으로 무한하게 존재하는 감정은 자기이해를 자기 행복을 위한 방법으로 욕망합니다. 이 욕망 덕분에 우리는 영원무한의 생명과 사랑으로 세상을 살아갑니다. 이것이 감정의 욕망에 고유한 '덕'(德) 입니다.

우리 모두는 자기 본성의 법칙을 따라서 필연적으로 자신이 좋다(선)고 판단한 것을 추구하며 싫다(악)고 판단한 것을 피한다.

분석

이 정리에서 '자기 본성의 법칙'은 자기이해를 행복으로 추구하는 '감정의 덕(德)' 또는 '욕망의 이성'입니다. 감정은 자기원인으로 자기에게 고유한 본성의 필연성을 명백하게 인식합니다. 감정은 이 이해를 행복으로 추구하는 자기 욕망의 이성에 근거하여 세상 모든 감정을 영원무한의 필연성 안에서 영원무한의 생명과 사랑으로 배우며 살아갑니다. 이 원칙을 어기거나 부정하는 감정은 절대적으로 존재하지 않습니다. 감정은 자기이해를 통해서 자신을 비롯해서 세상 모든 감정에 나아가 그것의 순수지선을 배우고 느낍니다. 그 결과 감정은 자신과 세상의 모든 감정을 생명과 사랑으로 경외하고, 그것으로 세상을 이롭게 합니다. 그러므로 감정은 자기이해를 선으로 판단하고 추구하는 반면 자기이해를 방해하는 것을 악으로 판단하고 회피합니다.

제4부 정리 20: 감정의 적자생존

우리 모두가 우리 자신의 이익을 구하기 위하여 노력하면 할수록, 즉 우리 자신의 존재를 유지하기 위하여 노력하면 할수록, 우리는 덕(德)의 축복을 누린다. 반대로 우리 자신의 이익이나 존재의 유지를 방치하면 할수록 우리는 무력하게 된다.

분석

감정은 자기이해를 통해서 자신의 순수지선을 최고의 완전성으로 이해하며 느낍니다. 감정이 영원무한의 생명과 사랑으로 자신의 공간과 시간을 살아가는 방법입니다. 그렇기 때문에 감정이 자신의 이익 또는 자신의 존재를 위해서 노력한다는 것은 실질적으로 감정이 자기이해를 행복으로 추구한다는 것을 뜻합니다. 감정은 자기이해에 근거하여 자기이해의 감정으로 존재합니다. 감정은 자신의 순수지선을 이해하고 느끼며 오직 자신의 순수지선으로 살아갑니다. 이렇게 배우며 살아가는 감정은 자신이 경험하는 세상 모든 감정을 자기이해와 같은 방식으로 이해합니다. 그 결과 감정은 자신을 비롯해서 세상 모든 감정에 대해서 타당한 인식을 형성하며, 오직 이 인식으로 살아갑니다. 이것이 감정의 '적자생존'입니다. 따라서 감정의 자기이해를 게을리 하는 감정은 본래부터 자기에게 존재하는 영원무한의 생명과 사랑을 누리지 못하는 비극을 겪게 됩니다.

현실적으로 존재하기를 바라는 욕망이 없으면 행복하기를 바라는 욕망이 존재할 수 없고, 같은 방식으로 행동하거나 살기를 바라는 욕망이 없으면 잘 행동하고 잘 살기를 바라는 욕망이 존재할 수 없다.

분석

　존재의 사실로부터 존재의 가치가 연역됩니다. 존재의 사실을 떠나서 존재의 가치가 따로 없습니다. 무어(G. E. Moore) 같은 근현대 윤리학자 대부분은 이 주장을 '자연주의자들의 오류'로 부르며 비난하지만, 그 이유는 그들이 자기 스스로 자기 감정에 대한 타당한 인식이 무엇인지 전혀 생각하지 않고 배우지 않았기 때문입니다. 지금 '나'라는 존재 자체가 없다면 행복하게 행동하며 살아가려는 욕망 자체가 애초부터 불가능합니다. 이 사실로부터 내가 행복하게 행동하며 살아가는 방법은 그에 앞서는 나의 존재 그 자체에 고유한 진실이 무엇인지 명백하게 이해하는 것입니다. 이 이해가 분명할 때, 감정에 대한 믿음이 분명하며, 마침내 무한한 방식으로 무한한 감정을 그 자체에 고유한 본성의 필연성으로 배워서 이해할 수 있게 됩니다.

그 어떤 덕(德)도 자기 자신을 보존하려는 욕망 보다 우선적으로 생각될 수 없다.

분석

이 정리는 바로 앞의 정리에 근거하여 지극히 당연한 것입니다. 따라서 다음과 같은 결론은 필연적입니다.

감정이 자기이해를 통해서 자기의 생명과 사랑을 영원무한의 필연성으로 이해하는 것이 모든 덕(德)의 기초이며, 감정이 자기 자신을 보존하는 유일한 방법입니다. 무한한 방식으로 무한히 새로운 감정이 자신의 순간 변화에 고유한 필연성을 영원무한으로 묻고 배우는 것이 감정 스스로 자신을 보존하는 '욕망'의 진실이면서 동시에 '덕'입니다. 이 욕망 덕분에 감정은 자신이 경험하는 세상의 모든 감정을 '감정의 자기이해' 안에서 묻고 배웁니다. 오직 이 방법을 통해서 감정은 모든 감정의 순수지선을 영원무한의 생명과 사랑으로 확인하기 때문에, 이 방법 이외 감정 스스로 자신을 보존하는 방법이 없습니다. 그러므로 감정은 자기 보존을 위해서 감정의 자기이해를 욕망하며, 이 욕망이 모든 덕(德)의 기초라는 결론이 필연적으로 나옵니다.

우리가 감정에 대한 타당하지 못한 개념(이해)으로 행동하는 한에서, 오직 이 사실만으로 그리고 다른 것은 전혀 고려할 필요 없이, 우리는 덕으로 행동한다고 말할 수 없다. 그러나 우리가 감정의 자기이해로 살아가는 한에서 우리는 덕으로 살아간다고 말할 수 있다.

분석

　감정이 자기이해를 통해서 자기 존재의 본성이 영원무한의 필연성 안에서 영원무한의 생명과 사랑으로 결정되어 있다는 사실을 인식하는 한에서, 감정은 오직 자기이해의 진실로 살아갑니다. 순수지선 안에서 순수지선으로 살아갑니다. 그러나 이와 반대로 감정이 자신을 이해함에 있어서 사실상 존재하지도 않는 외부 원인이 존재한다는 착각과 함께 자기 존재가 그것에 의해서 결정되었다고 잘못 이해하는 한에서, 감정은 자신의 생명과 사랑을 외부 원인에 예속시키게 됩니다. 그로 인하여 외부 원인을 소유해야만 자신이 행복할 수 있다는 망상에 빠지거나, 반대로 외부 원인을 파괴해야만 자신이 행복할 수 있는 망상에 빠지게 됩니다.
　그러므로 다음과 같은 결론은 필연적입니다.

감정이 자기이해의 감정으로 존재하면 감정은 자기이해로 살아갑니다. 그러나 감정이 자기 오류에 빠지면, 감정은 타당하지 못한 이해로 살아갑니다. 이처럼 감정은 철저히 '지행일치'(知行一致)를 따릅니다. 이 원칙에 근거하여 어느 것이 진실로 행복한 삶인지 생각해야 합니다. 자기이해로 살아가지 않으면, 겉으로 보기에 아무리 근사하고 아름답다고 하여도, 그것은 실질적으로 덕으로 살아가는 것이 아닙니다. 반대로 어떤 삶이 겉으로 봤을 때 가난하고 억울한 것 같아도 그 삶이 감정의 자기이해에 기초하고 있다면, 그 삶이 오히려 덕으로 살아가는 축복의 삶입니다. 예수 선생님이 이 진실에 대한 증명입니다. 따라서 감정은 자기이해 안에서 영원무한의 생명과 사랑으로 살아가는 축복을 필연적으로 누립니다. 이 축복 이외 다른 행복은 뜬구름에 불과합니다.

감정의 어떤 행동이 절대적인 완전성으로 덕에 기초하고 있
다는 것은 감정이 자기이해를 정립하는 이성의 지도에 근거
하여 철저히 자신의 이익을 추구하기 위해 행동하고 살아가
며 자기의 존재를 유지하고 있다는 것이다.

분석

감정의 욕망은 자신의 순수지선을 영원무한의 필연성으로 이해하
며 느끼는 '감정의 자기이해'를 유일한 행복으로 추구합니다. 감정의
욕망이 이성으로 존재하는 근거입니다. 감정이 자신의 이성적 욕망을
따라서 살 때 감정은 자신과 세상 모든 감정을 순수지선으로 이해하
며 느낍니다. 이러한 맥락에서 감정의 이성적 욕망은 철두철미 이기
적으로 존재합니다. 왜냐하면 감정이 자신의 진실을 이해하는 자기이
해를 정립하지 못하면, 그 어떤 감정에 대해서도 순수지선을 이해할
수 없기 때문입니다. 그렇기 때문에 덕으로 살아간다는 것은 감정이
자기이해를 연마하는 감정과학으로 살아간다는 것과 실질적으로 같
습니다. 그러므로 엄격히 말해서 '이기적인 것'은 유전자(몸-감정)가
아니라 유전자(몸-감정)의 순간 변화에 고유한 유전자(몸-감정) 그
자체의 본성이며 동시에 이 본성을 이해하는 유전자(몸-감정) 자신의
정신(마음)입니다.

┌───┐
│ ─── 제4부   정리 25: 이기적인 감정 ───   │
│   │
│ 그 어떤 감정도 자기 아닌 다른 감정을 위해서 자신의 존재 │
│ 를 유지하려고 노력하지 않는다.   │
└───┘

분석

감정은 '자기이해'가 아니면 자기 본성의 진실이 영원무한의 필연성 안에서 영원무한의 생명과 사랑으로 결정되어 있다는 것을 절대적으로 이해할 수 없습니다. 그리고 이 이해가 분명하지 않으면 감정은 자기 생명과 사랑의 영원무한을 느낄 수 없습니다. 감정은 오직 자기이해를 통해서 자기이해의 감정으로 존재합니다. 그렇기 때문에 감정은 자기 본성을 명백하게 이해하는 자기이해만을 행복으로 추구하는 이기적인 것이며, 마침내 이 행복이 자기에게 분명할 때 감정은 세상의 모든 감정을 자기이해의 필연성으로 배워서 이해합니다. 그러므로 다음과 같은 결론은 필연적입니다.

철저히 이기적인 감정이 철저히 이타적인 감정입니다.

> ═══ **제4부   정리 26: 감정의 자기이해** ═══
>
> 이성에 근거하여 우리가 하는 모든 노력은 이해하는 것일 뿐
> 이다. 그리고 마음이 자신의 이성으로 생각하는 한에서 마음
> 은 자기이해에 도움이 되는 것 이외 그 어떤 것도 자신에게
> 좋은 것이라고 판단하지 않는다.

분석

스피노자의 '이성'은 사실상 '직관과학'(직관인식)입니다. 감정은
자기이해를 통해서 자기의 본성을 영원무한의 필연성으로 이해합니
다. 자기 스스로 자기 본성에 고유한 필연성을 영원무한으로 이해하
는 것이 '직관'입니다. 스피노자의 윤리학에 의하면, 이성은 필연성을
인식하는 것입니다. 그리고 이성이 인식하는 필연성을 자기원인에 근
거하여 영원무한 그 자체로 이해하는 것이 직관과학입니다. 필연성은
다수결이나 힘에 의해서 결정되는 것이 아닙니다. 그렇기 때문에 감
정이 자기이해를 통해서 자기 존재에 고유한 본성을 영원무한의 필
연성으로 인식하는 한에서 이 인식은 실질적으로 감정의 마음이 '직
관과학의 이성'으로 자신과 모든 감정을 배워서 이해하는 것입니다.

제2부 정리 44: 믿고 배우는 직관과학
몸을 우연성으로 간주하는 것은 이성의 본성이 아니다. 이성은 모든

몸을 필연성으로 이해한다.

제2부 정리 45: 신성한 나의 감정
모든 몸 또는 현실적으로 존재하는 모든 특정한 몸에 대한 개념은 신의 영원하고 무한한 본질을 포함한다.

이성은 '몸' 또는 몸의 순간 변화로서 '감정'을 필연성으로 인식하는 것입니다. 그리고 이 이해는 "신의 영원하고 무한한 본질"을 이해하는 것입니다. 필연성을 인식하는 이성이 '직관과학'임을 확인할 수 있습니다. 그런데 엄격히 말해서 이 이해는 '감정의 자기이해'이므로 이 이해를 정립하는 것은 감정의 마음입니다. 몸의 순간 변화는 본래부터 자기 본성의 필연성을 따라서 존재하며 활동합니다. 이 변화에 대한 개념을 형성하는 마음이 그에 고유한 본성의 필연성을 인식해야 합니다. 감정에 대한 올바른 인식으로 인도하는 감정과학이 감정의 마음에게 소중한 이유가 바로 여기에 있습니다.

제2부 정리 46: 감정의 자기이해
모든 개념이 자기 안에 품고 있는 영원하고 무한한 신의 본질에 대한 인식은 타당하며 완벽하다.

제2부 정리 47: 내 마음의 진실
인간의 마음은 신의 영원하며 무한한 본질에 대한 타당한 인식을 가지고 있다.

그러므로 감정의 마음은 오직 감정의 자기이해만을 자신에게 좋은 것으로 판단합니다. 감정은 '자기'(몸의 순간 변화)에게 고유한 본성으로서 영원무한의 필연성 또는 영원무한의 생명과 사랑을 이해하면, 그 즉시 자신의 순수지선을 느낍니다. 이 이유로 감정은 '자기이해' 또는 '직관과학'만을 자신에게 좋은 것으로 판단합니다. 우리가 자기이해의 진실을 '신'으로 이해하는 한에서 감정의 마음은 오직 '신'을 자신에게 좋은 것으로 판단합니다. 왜냐하면 오직 '신'(영원무한의 필연성 또는 영원무한의 생명과 사랑)의 존재만이 감정을 최고의 완전성 또는 순수지선으로 이해하는 기초이기 때문입니다.

제4부   정리 27: 감정의 선악 판단

감정은 자기이해에 도움이 되는 것을 확실하게 선(善)으로 이해하며, 반대로 자기이해에 방해되는 것을 확실하게 악(惡)으로 이해한다. 이 이해 이외에 감정은 그 어떤 것에 대해서도 선악(善惡)을 확실하게 판단할 수 없다.

분석

감정의 욕망은 자기 존재의 진실을 영원무한의 순수지선(생명과 사랑)으로 확인하는 '자기이해'를 행복으로 추구합니다. 그러한 한에서 감정의 욕망은 그 자체의 본성이 '이성' 또는 '직관인식'(직관과학)입니다. 따라서 감정의 욕망은 자기이해에 도움이 되는 것을 선으로 판단하며, 반대로 자기이해에 방해가 되는 것을 악으로 판단합니다. 왜냐하면 앞에서 이미 언급한 바와 같이 감정은 자기이해가 아니면 자신의 순수지선을 알 수 없으며 더 나아가 자신이 경험하는 세상 모든 감정의 순수지선을 알 수 없기 때문입니다.

제4부   정리 28: 감정의 신 인식

감정의 마음에게 최고의 선(善)은 신에 대한 이해이며, 감정
의 마음에게 최고의 덕은 신을 이해하는 것이다.

분석

이 정리는 바로 앞의 정리에서 다룬 '선'(善)의 실체가 무엇인지
분명히 보여줍니다. 무한한 방식으로 무한하게 새로운 감정은 영원무
한의 필연성 안에서 영원무한의 생명과 사랑 그 자체로 존재하는
'신의 감정'에 의해서 영원무한의 필연성으로 존재하도록 결정되어
있습니다. 이 말은 감정이 자기 스스로 자기 본성의 필연성을 이해
하는 한에서(감정의 자기이해) 감정은 자신의 생김과 놀이가 영원무한의
필연성으로 결정되어 있다는 사실을 이해한다는 것입니다. 이 사실을
이해하는 것이 감정의 자기이해이므로 감정에게는 '신'의 존재가 자
기이해의 유일한 기초입니다.

아래에 제시된 4개의 정리에 근거하여 신의 존재와 본성 그리고
신으로부터 산출되는 양태의 진실을 확인할 수 있습니다.

제1부 정리 15: 감정의 영원한 필연성
모든 것은 신 안에 있다. 신 없이는 어떤 것도 존재할 수 없으며 인
식될 수도 없다.

제1부 정리 21: 다 좋은 감정

신의 속성에 고유한 절대적 본성으로부터 생겨난 모든 것은 영원무한으로 존재한다. 즉, 그 속성의 절대적 본성에 의하여 그 속성으로부터 생겨난 것은 영원하며 무한하다.

제1부 정리 29: 성스러운 나의 감정

세상의 모든 것은 우연이 아니라 신의 본성에 고유한 영원무한의 필연성에 의하여 특정한 방식으로 존재하고 작동하도록 결정되어 있다.

제1부 정리 30: 감정의 자기이해

지성(intellect)은 유한한 것이든 무한한 것이든 근본적으로 신의 속성과 그것의 변화로서 양태를 이해해야 하며, 그 외의 것은 이해하지 않는다.

감정이 자기 본성의 필연성, 즉 자기 존재의 유일한 원인으로서 신에 대한 분명한 이해를 정립하면(「제1부 정리 30: 감정의 자기이해」), 감정은 자신이 최고의 완전성 그 자체라는 사실을 분명하게 이해합니다. 왜냐하면 지금 존재하는 모습이 영원무한의 필연성(='신')에 의해서 결정되었다는 사실을 이해하기 때문입니다. 지금 존재하는 방식이 아닌 다른 방식을 절대적으로 생각할 수 없다는 것은 지금 존재하는 방식이 최고의 완전성 그 자체라는 것을 뜻합니다. 더 나아가 지금 존재하는 감정은 자기 존재에 고유한 본성으로서 영원무한의 필연성에 근거하여 지금 자신의 존재가 영원무한의 생명과 사랑 속에 있다는 것을 분명하게 이해합니다.

이 사실을 이해하는 감정은 자기원인의 능동성으로 존재합니다.

왜냐하면 감정은 자기 아닌 다른 것에 의존함이 없이 자기이해 안에서 자기 존재의 진실을 이해하기 때문입니다. 감정이 이러한 자기이해를 통해서 자신을 이해하고 느끼는 한에서 감정은 최고의 완전한 능동성으로 자신의 순수지선을 이해할 뿐만 아니라 자신의 존재가 영원무한의 필연성에 의해서 결정되었다는 사실을 이해합니다. 이 이해가 실질적으로 '신'에 대한 인식입니다. 그러므로 감정에게 최고의 선(善)은 자기 본성의 필연성인 신에 대한 이해이며, 감정의 마음에게 최고의 덕(德)은 신을 이해하는 것이라는 결론이 나옵니다.

┌───┐
│ **제4부   정리 29: 다 좋은 감정** ─────── │
│   │
│ 우리의 본성과 완전히 다른 본성을 가진 것은 절대적으로 우 │
│ 리들의 행동 능력을 촉진하거나 억제할 수 없으며, 또한 그것 │
│ 은 우리들과 그 어떤 공통점을 갖지 않기 때문에 그것이 무 │
│ 엇이든지 관계없이 우리는 그것의 선악(善惡)을 판단할 수 없 │
│ 다.   │
└───┘

분석

자연 안에는 무한한 몸이 존재하며, 그 모든 몸은 순간 변화를 통해서 감정으로 존재합니다. 그렇기 때문에 자연 안에는 무한한 감정이 무한하게 존재합니다. 한편, 감정을 '몸의 순간 변화'로 정의하는 한에서 자연 안에 무한히 존재하는 감정은 무한히 교차합니다. 『1부』의 「정의 2」에 근거하여 이 교차를 '감정의 유한성'이라 부릅니다.

제1부 정의 2: 감정의 유한성

우리는 '어떤 것'을 '유한하다.'라고 말할 수 있다. 그것이 자기와 동일한 본성을 가진 또 다른 어떤 것에 의해서 제한될 때, 우리는 그것을 유한한 것이라고 말할 수 있다.

이 정의에서 '동일한 본성'이란, 현실적으로 존재하는 무한한 몸이 단 하나의 예외 없이 '신'(영원무한의 필연성)의 몸으로부터 존재하도록 결정되었다는 사실, 그리고 그 모든 몸은 신의 몸 안에서 무한히 변화함으로써 감정으로 존재하고 있다는 사실에 근거합니다. 다음으로 '또 다른 어떤 것에 의해서 제한'이란 무한한 감정이 무한히 교차함으로써 무한히 새로운 변화를 겪는다는 것을 뜻합니다. 그런데 이 변화는 감정(몸)의 활동 능력을 이전 보다 더 크게 하거나 반대로 더 작게 하는 것입니다. 이 사실로부터 무한 감정의 무한 교차는 실질적으로 기쁨 또는 슬픔의 감정으로 확인됩니다.

이 사실에 기초하여 『1부』의 「정리 28」을 다시 살펴보도록 하겠습니다.

제1부 정리 28: 성스러운 나의 감정

모든 개별적인 것, 즉 유한하고 한정된 양태로 존재하는 모든 것은 유한하고 한정된 양태로 존재하는 또 다른 원인에 의하여 존재하고 행동하도록 결정된다. 그리고 이 원인 또한 유한하고 한정된 양태로 존재하는 또 다른 원인에 의하여 존재하고 행동하도록 결정된다. 이렇게 무한히 진행한다.

무한 감정은 무한 교차를 통해서 얼마든지 서로에게 원인과 결과의 관계를 맺습니다. 감정과학은 이것을 감정의 '횡설'(橫說)로 정의합니다. 아주 간단한 예로 슬픈 얼굴을 하고 있는 친한 친구를 보면, 그 즉시 우리도 그와 함께 슬픔을 느끼게 됩니다. 또는 어떤 사람이 화난 표정으로 우리를 바라보고 있으면, 그 즉시 우리도 그이에게 분노를 느끼게 됩니다. 이처럼 무한 감정은 무한 교차를 통해서 무한히 변화하며, 그 결과 무한히 새로운 감정으로 존재합니다. 따라서 다음과 같은 결론이 나옵니다.

감정으로 존재하며 감정으로 살아가는 우리는 자연 안에 무한히 존재하는 감정과의 무한 교차를 통해서 무한히 새로운 감정으로 존재하며 살아간다. 따라서 우리는 무한 감정의 무한 교차 이외 그 어떤 것과도 교차할 수 없으며, 그러한 한에서 무한 감정의 무한 교차를 떠나서 그 어떤 것에 대해서도 선악(善惡)을 판단할 수 없다.

다음으로 위의 결론과 별도로 우리는 이 정리를 조금 다른 측면에서 접근하고 이해할 수 있습니다. 『1부』의 「정의 2」에서 다음의 논의를 주의 깊게 검토할 필요가 있습니다.

제1부 정의 2: 감정의 유한성

그러나 몸은 생각에 의해서 제한되지 않으며, 생각도 또한 몸에 의해서 제한되지 않는다. (그러므로 몸은 생각에 의해서 유한한 것이 되지 않으며, 그 반대도 마찬가지이다.)

신은 단 하나의 실체이며 서로 다른 두 개의 속성인 몸과 마음으로 존재합니다. 그렇기 때문에 자연의 모든 몸과 마음은 각각 신의 몸과 마음에서 유래합니다. 몸과 마음은 서로 다른 본성으로 존재한다는 것을 알 수 있습니다. 그러나 그렇다고 해서 몸과 마음은 서로 다른 두 개의 실체(신)로 존재하지 않습니다. 이 둘은 '단 하나의 실체' 또는 '신'으로 존재합니다. 이 사실에 대한 증명이 '감정'입니다. 몸이 순간 변화함으로써 '감정'으로 존재하면, 그와 동시에 마음은 그에 대한 개념을 형성함으로써 자신 또한 '감정'으로 존재합니다. 신의 몸과 마음에 의해서 존재하는 우리가 이와 같은 방식으로 감정을 느낀다면, 당연히 신도 감정으로 존재합니다.

　서로 다른 몸과 마음이지만, 이 둘은 감정에 의해서 본래부터 하나로 존재하고 있다는 사실이 증명됩니다. 신이 몸과 마음으로 존재하고 있다는 사실로부터 신은 감정으로 존재하며, 따라서 자연 안에 현실적으로 존재하는 모든 감정은 신의 감정에 의해서 존재하도록 결정되어 있습니다. 이 논의에서 우리가 깊게 생각해야 하는 것은 몸과 마음은 감정에 의해서 본래 하나로 존재하고 있다는 사실이 분명하지만, 그럼에도 불구하고 이 둘은 본성이 서로 다르다는 사실입니다. 몸은 철저히 자기원인으로 순간 변화함으로써 감정으로 존재하며, 마음은 철저히 자기원인으로 몸의 순간 변화인 감정에 대한 개념을 자기 안에서 형성함으로써 감정으로 존재합니다.

　이상의 논의를 〖2부〗의 「정리 6」은 다음과 같이 정리합니다.

제2부 정리 6: 감정에 대한 타당한 이해
　어떤 속성의 양태는 신이 그 속성으로 이해되는 한에서 자기 존재의 원인으로 신을 소유하므로 그 속성 이외 다른 속성으로 신을 이해할 경우에는 신을 원인으로 소유하지 않는다.

몸의 순간 변화로서 감정은 신의 속성 가운데 하나인 몸의 속성 안에 있으며, 몸의 순간 변화에 대한 개념으로서 감정은 신의 속성 가운데 하나인 신의 마음 안에 있다는 것입니다. 몸과 마음은 분명 감정으로 존재하는 것이지만, 감정을 몸의 사건으로 바라보면 그것은 몸의 본성 안에 있으며 한편으로 감정을 마음의 사건으로 바라보면 그것은 마음의 본성 안에 있다는 것입니다. 이 사실을 우리가 분명히 이해하면 몸의 순간 변화로서 감정은 절대적으로 그에 대한 개념을 형성하는 마음에 의해서 조절되거나 통제되는 것이 아님을 쉽게 이해할 수 있습니다. 즉, '감정(마음)'은 자신의 '존재(몸의 순간 변화)'를 지금과 다른 방식으로 존재하도록 결정할 수 없다는 뜻입니다.

이러한 진리의 필연성을 스피노자는 다음과 같이 확인합니다.

제1부 정리 26: 성스러운 나의 감정
특정 방식으로 작용하도록 결정된 것은 반드시 신에 의하여 그렇게 결정된 것이다. 그리고 신에 의하여 결정되지 않은 것은 자기 스스로 자신을 특정 방식으로 작용하도록 결정할 수 없다.

제1부 정리 27: 성스러운 나의 감정
신에 의해 특정한 방식으로 작용하도록 결정된 것은 자기 스스로 그 결정을 변경하거나 부정할 수 없다.

위의 정리를 토대로 지금 우리가 공부하는 정리를 다시 보겠습니다.

우리의 본성과 완전히 다른 본성을 가진 것은 절대적으로 우리들의 행동 능력을 촉진하거나 억제할 수 없으며, 또한 그것은 우리들과 그 어떤 공통점을 갖지 않기 때문에 그것이 무엇이든지 관계없이 우리는 그것의 선악(善惡)을 판단할 수 없다.

우리는 이 정리를 첫 번째 정리(감정의 횡설)와는 또 다른 관점으로 이해할 수 있습니다. 감정(마음)은 지금 존재(몸의 순간 변화)하고 있는 방식 이외 다른 방식으로 자신의 존재를 결정할 수 없으며, 그러한 한에서 마음(감정)은 몸(몸의 순간 변화)의 행동 능력을 촉진하거나 억제할 수 없으며, 또한 마음(감정)은 몸(몸의 순간 변화)에 대해서 선악(善惡)을 판단할 수 없습니다. 이 사실에 기초하여 감정은 절대적으로 선악의 판단 대상이 될 수 없거니와 조절이나 통제의 대상도 될 수 없습니다. 따라서 감정(마음)이 자기 존재(몸의 순간 변화)에 관하여 할 수 있는 능력의 전부는 자기 본성의 필연성을 인식하는 '자기이해' 이외 절대적으로 없습니다. 이 결론이 감정의 수설(竪說)입니다.

이상으로 우리는 두 가지 측면, 즉 '감정의 횡설'과 '감정의 수설'에 기초하여 이번 정리를 분석했습니다. 마지막으로 우리가 다룰 주제는 이 둘의 관계입니다. 감정이 서로를 제한하는 '인과관계'(감정의 횡설)는 절대적으로 몸의 순간 변화에 고유한 본성의 필연성을 따르는 자기원인(감정의 수설) 안에 있습니다. 앞에서 예로 들었던 'A가 화난 표정으로 우리를 바라보면 우리도 A에게 화를 내게 된다.'는 사례를 다시 봅시다. 우리가 화를 느끼게 되는 참된 원인은 'A'가 아니라 'A와의 감정 교차'로부터 우리 몸의 순간 변화는 필연적으로 화를 느끼게 되어 있다는 것입니다.

제3부 정리 40: 필연으로 존재하는 감정

다른 사람이 나를 증오하고 있다고 느낄 때, 그 사람의 증오와 관련하여 나 자신이 그 어떤 원인도 제공하지 않다고 믿으면, 나는 그에 상응하여 그 사람을 증오하게 될 것이다.

엄밀히 말해서 A가 우리로 하여금 화를 느끼도록 결정하는 것이 아니라, A와의 교차를 통해서 우리 몸의 순간 변화는 필연적으로 화를 느끼게 되어 있습니다. 화를 느끼지 않으면 안 되는 필연성이 우리 몸의 순간 변화에 고유한 본성으로 존재하기 때문에 우리는 그 본성의 필연성을 따라서 화를 느끼게 됩니다. A와의 교차가 우리로 하여금 화를 느끼도록 결정하는 것이 아닙니다.

그러므로 감정의 수설로서 감정의 자기원인이 존재하며, 이 존재 안에서 감정은 자신과 다른 무한한 감정과의 '무한 교차'(감정의 횡설)를 통해서 무한한 방식으로 무한하게 변화합니다. 이렇게 감정의 횡설을 수설 안에서 이해하면, 감정의 유한성(횡설)은 사실상 감정의 축복입니다. 감정의 무한 교차를 감정 그 자체의 본성 안에서 이해하면, 교차의 무한성에 비례하여 감정의 순수지선을 이해하는 인식도 무한성을 갖습니다. 감정의 순수지선을 유한이 아닌 무한으로 이해하며 느끼게 됩니다. 이 이해를 형성하는 방법이 감정의 자기이해입니다. 감정의 무한 교차 안에 있는 감정이 무한한 감정 각각에 고유한 본성과 교차함으로써 감정의 무한 교차를 순수지선으로 이해하는 것이 감정의 자기이해입니다. 따라서 감정의 자기이해가 선(善)이며 감정의 무한 교차가 선(善)입니다.

제4부 정리 30: 감정 이해의 오류

그 어떤 감정도 지금 내 감정의 본성과 공통된 것을 소유한다는 이유로 악(惡)으로 존재한다고 할 수 없다. 그러나 우리가 어떤 감정을 악으로 주장한다면, 그것은 지금 내 감정의 본성과 대립하는 것이다.

분석

바로 앞의 정리에도 불구하고 우리가 어떤 감정에 대해서 얼마든지 선악을 판단할 수 있고 그에 기초하여 얼마든지 감정을 마음의 의지력에 의한 조절과 통제의 대상으로 취급할 수 있다고 주장한다면, 이 주장은 모순입니다. 지금 우리가 공부하는 정리가 증명합니다. 우리가 어떤 감정에 대해서 선악을 판단할 수 있는 유일한 근거는 몸의 순간 변화인 감정이 자신과 무한히 다른 감정과 교차한 결과 자기 스스로 자신의 활동 능력이 증대되거나 감소할 때입니다. 이 변화에 근거하여 몸은 자신과 교차하는 다른 감정에 대해서 선악을 판단할 수 있습니다. 마음도 그와 동일한 질서로 선악에 대한 개념을 형성합니다.

그러나 마음(감정)이 자기의 감정(몸의 순간 변화) 및 자기와 다른 감정(몸의 순간 변화)에 대해서 선악을 판단함과 동시에 그에 근거하여 감정(몸의 순간 변화)을 조절하거나 통제할 수 있다는 주장은 맥락이 완전히 다릅니다. 바로 앞의 문단은 몸의 순간 변화가 자신과 교차하는 감정에 대해서 선악을 판단하기 때문에 마음도 그에 대한 개념을 자기 스스로 형성한다는 것을 뜻합니다. 엄격히 말해서 감정이 자기 자신 및 자신과 교차하는 감정에 대해서 선악의 가치 판단을 하는 것이 아닙니다. 더 나아가 감정의 현실적 존재를 다른 방식으로 결정하는 것은 더더욱 아닙니다. 감정이 다른 감정과의 교차를 통해서 감정에 대해서 선악을 느끼는 것과 감정의 존재를 선악으로 판단하는 것을 본질적으로 다릅니다.

그러므로 지금 우리가 공부하는 이 정리는 감정의 유한성으로부터 감정이 자신과 교차하는 다른 감정에 대해서 선악을 느낀다고 해도 그것이 곧 감정의 존재를 선악으로 결정하는 것이 아니라는 사실을 확인합니다. 선악의 느낌은 실질적으로 몸의 순간 변화가 기쁨 또는 슬픔으로 새롭게 드러나는 것에 불과합니다. 이 감정이 자기이해를 하면 모든 감정의 순수지선을 확인합니다. 그렇기 때문에 마음이 자신(몸의 순간 변화)의 기쁨과 슬픔에 근거하여 자신이 교차한 감정의 존재를 선악으로 판단하는 것은 터무니없는 것입니다. 감정에 고유한 본성의 필연성이 무엇인지 모르고 있는 인식의 결핍 상태일 뿐입니다. 감정의 자기이해가 아니라 자기 인식의 오류입니다.

우리의 본성과 일치하는 감정은 필연적으로 선(善)이다.

분석

이 정리는 두 가지 접근으로 쉽게 이해할 수 있습니다. 감정의 수설(竪說)과 감정의 횡설(橫說)이 그것입니다. 감정의 수설은 감정 그 자체에 고유한 본성의 필연성이며, 감정의 횡설은 자연 안에 무한한 방식으로 무한하게 존재하는 감정의 유한성 또는 감정의 무한 교차에 대한 것입니다. 특히 이 주제는 이전의 「정리 29/ 30」에서 자세히 다루었습니다. 따라서 이번 정리에서는 감정의 수설을 중심으로 다루고, 그 연장선에서 앞의 정리에서 다룬 감정의 횡설을 간단히 정리하도록 하겠습니다. (참고로 감정의 수설과 횡설에 관련된 논의는 스피노자 윤리학 연구총서 제1권 『감정으로 존재하는 신』에서 자세히 논의하였습니다.)

지금 우리가 현실적으로 느끼는 감정은 그 기원이 '신의 감정'입니다. 감정의 수설은 감정 그 자체의 본성으로서 '신'입니다. 이 존재가 영원무한의 필연성 또는 영원무한의 생명과 사랑입니다. 이 논점은 두 가지 방식으로 증명됩니다. 하나는 '몸-생김'에 고유한 본성에 근거하는 것이며, 다른 하나는 '몸-놀이'에 고유한 본성에 근거하는 것입니다. 전자를 '선험-분석'이라 부르며, 후자를 '후험-분석'이라 부릅니다. 우리는 감정의 수설을 이와 같은 방식, 즉 '선험-분석'

과 '후험-분석'으로 나누어 이해할 수 있습니다. 이하에서는 차례대로 검토하겠습니다.

(1) 선험-분석

감정은 몸의 순간 변화입니다. 여기에서 가장 중요한 것은 몸의 순간 변화로서 감정을 지금 우리 자신의 감정에 근거하여 이해해야 한다는 것입니다. 자신의 감정에 대해서 제대로 알고 있지 못하다면, 당연히 자연의 모든 감정에 대해서도 알지 못합니다. 반대로 우리 스스로 우리 자신의 감정을 그 자체에 고유한 본성의 필연성으로 인식한다면, 우리는 이 사실에 기초하여 자연의 모든 감정(자연의 모든 몸이 이루는 순간 변화)에 대해서 믿고 배울 수 있게 됩니다. 우리 자신이 느끼는 감정에 대한 이해를 감각적 현상에 의존하여 해석하지 않고 그 자체에 고유한 본성의 필연성으로 인식할 수 있다면, 우리가 경험하는 모든 감정에 대해서도 동일한 방식으로 이해할 수 있습니다.

몸의 순간 변화가 영원무한의 필연성을 자기 존재에 고유한 본성으로 갖는다는 사실을 선험-분석으로 증명할 수 있습니다. '선험'(a priori/ 先驗)이란, 몸의 순간 변화에 논리적으로 앞선 '몸'이며, 근본적으로 '내 몸의 생김'을 뜻합니다. 이 경우 당연히 선험은 우리 몸을 낳아주신 엄마아빠이며, 정확히 말하면 '엄마아빠의 몸'입니다. 한편, 분석(analysis/ 分析)이란, 선험에 대한 이해를 생각하는 우리 자신의 마음이 자기 안에서 자기 스스로 형성하는 것입니다. 이것은 어려운 것이 아닙니다. 감정과학이 계속해서 다루었듯이, 지금 우리의 시선을 몸 밖에 두는 것이 아니라 머리를 '숙여서'(reflexive) 우리 자신의 몸에 있는 배꼽에 두면, 바로 그 순간 생각하는 마음은 '내 몸을 낳아주신 엄마아빠의 몸이 영원무한의 필연성으로 존재한다.'는 사실을 이해합니다. 이 이해가 분석입니다.

'선험'은 내 몸의 생김에 대한 것입니다. '선험에 대한 분석'(선험-분석)은 내 몸의 생김을 감각적으로 의존하여 이해하는 것이 아니라 지금 내 몸에 나아가 스스로 생각함으로써 자명하게 이해하는 것입니다. 이때 비로소 지금 내 몸의 존재에 고유한 본성으로서 '엄마아빠의 몸'을 영원무한의 필연성으로 이해합니다. 왜냐하면 엄마아빠의 몸이 존재하기 때문에 지금 내 몸이 존재한다는 사실은 절대적으로 영원무한의 필연성이기 때문입니다. 여기에는 절대적으로 우연성이 개입되지 않습니다. 즉, 엄마아빠의 몸이 없어도 얼마든지 지금 내 몸이 존재할 수 있다는 것은 터무니없는 것입니다. 이 사실을 공맹(孔孟)의 유교철학에 기초한 성리학(性理學)은 '신체발부, 수지부모'(身體髮膚 , 受之父母)라고 합니다.

영원무한의 필연성으로 존재하는 엄마아빠의 몸이 곧 신의 몸입니다. 왜냐하면 신의 몸은 영원무한의 필연성으로 존재하는 것이며 자기 존재에 관한 한 자기가 원인이기 때문입니다. 우리 몸의 생김에 대해서 우리는 엄마아빠의 몸 그 이상을 생각할 수 없습니다. 우리 몸의 생김에 대해서 생각하면 우리는 절대적으로 '엄마아빠의 몸'만을 영원무한의 필연성으로 이해합니다. 그러한 한에서 선험-분석으로 이해하는 엄마아빠의 몸은 그 자체의 본성이 영원무한의 필연성이며 자기 존재에 있어서 자기가 원인인 자기원인입니다. 한편, 우리는 신의 존재를 영원무한의 필연성 안에서 단 하나의 실체로 존재하는 자기원인으로 정의하기 때문에, 몸-생김에 나아가 선험-분석으로 이해한 '엄마아빠의 몸'은 실질적으로 신의 몸의 존재 증명입니다.

이 지점에서 엄마아빠의 몸은 서로 다른 두 개의 몸이 아니냐는 질문을 할 수 있습니다. 그러나 이 문제를 해결하는 방법은 우리 스스로 차분하게 생각하는 방법 이외 없습니다. 내 몸의 생김에 관한 한 '엄마의 몸'과 '아빠의 몸'은 절대적으로 분리될 수 없으며 그렇다고 해서 절대 하나로 합쳐질 수 없습니다. 서로 다른 엄마의 몸과 아빠의 몸이 하나로 교차하는 '사랑'(sex)을 하지 않고 떨어져 있으면 절대적으로 지금 내 몸이 생겨날 수 없습니다. 내 몸의 생김에 관한 서로 다른 엄마의 몸과 아빠의 몸은 영원무한의 필연성으로 사랑(sex) 안에서 '본래 하나이'면서 '본래 둘'로 존재합니다. (잠깐, 다시 강조합니다. 지금 이 논의는 분석이 기초한 것이기 때문에 엄마아빠의 사랑 이야기를 감각적으로 종합한 것이 아닙니다.)

이 진실을 '불리'(不離: 본래 하나)와 '부잡'(不雜: 본래 둘)이라 합니다. 이 맥락을 우리는 신의 속성에 그대로 대입할 수 있습니다. 신을 구성하는 서로 다른 두 개의 속성인 몸과 마음은 단 하나의 실체 안에서 본래 하나이지만(불리/不離), 동시에 본래부터 완전히 서로 다른 두 개의 속성(부잡/不雜)으로 존재합니다. 마치 내 몸의 생김에 관한 한 엄마아빠의 몸은 '본래 하나이면서 본래 다른 둘'로 존재한다는 것과 같습니다. 이상의 논의를 토대로 우리가 깨닫는 것은 내 몸의 생김이 절대적으로 '우연'이 아니라 '영원무한의 필연성'을 본성으로 갖는다는 것입니다. 그리고 그것의 실상은 영원무한의 필연성으로 존재하는 엄마아빠의 몸이라는 것입니다. 따라서 이 몸은 영원무한의 생명과 사랑으로 존재한다는 결론이 나옵니다.

영원무한의 필연성 안에서 영원무한의 생명과 사랑으로 존재하는 몸이 있고, 이 몸으로부터 지금 나의 몸이 생겨납니다. 자연의 모든 몸이 이와 같은 방식으로 생겨납니다. 지금 내 몸의 생김(선험)에 나아가 분석으로 이해하면 엄마아빠의 몸이 영원무한의 필연성으로 존재한다는 사실 그리고 이 사실에 의해서 지금 내 몸이 존재하도록 결정되었다는 사실을 이해합니다. 그 결과 우리는 자연의 모든 몸에 나아가 그것의 존재에 고유한 본성의 필연성이 무엇인지 믿고 배울 수 있습니다. 우리가 자연의 모든 몸을 우연이 아닌 그 자체에 고유한 본성의 필연성으로 인식하는 한에서, 이 인식이 곧 신의 몸을 인식하는 것입니다. 왜냐하면 우리는 자연의 모든 몸을 감각적 현상에 의존한 우연성이 아닌 그 존재에 고유한 본성으로서 영원무한의 필연성으로 인식하기 때문입니다.

지금 우리 자신의 몸을 비롯해서 세상 모든 몸의 생김에 관하여 영원무한의 필연성을 그에 고유한 본성으로 이해하는데 성공한다면, 그 모든 몸이 살아가는 '몸-놀이'에 고유한 본성을 영원무한의 필연성으로 이해하는 것은 지극히 당연합니다. 몸-생김에 고유한 본성이 영원무한의 필연성이라면, 이 몸으로 놀이를 한다는 사실로부터 몸-놀이도 당연히 영원무한의 필연성을 본성으로 갖습니다. 이 말은 모든 몸의 생김에 고유한 본성으로서 신의 몸을 우리가 명백하게 이해하는 한에서 신의 몸은 모든 몸의 놀이에 고유한 본성으로도 존재한다는 것을 뜻합니다. 이는 지극히 당연한 것입니다. 신의 몸이 존재한다면 신도 자신의 몸으로 놀이하는 것이 자연스러운 것이기 때문입니다. (신이 몸-생김에 갇히는 것보다 자신의 몸으로 놀이하는 것이 보다 더 큰 완전성이기 때문에)

신의 몸이 '생김'에도 존재할 뿐만 아니라 '놀이'에도 존재한다는 것은 우리 자신의 몸을 비롯해서 자연의 모든 몸이 신의 몸 안에서 무한히 생겨나며 동시에 신의 몸 안에서 무한히 놀이한다는 것을 뜻합니다. 이제 중요한 것은 신의 몸이 자연의 모든 몸의 놀이에도 존재한다는 것입니다. 신의 몸은 생김으로도 존재하지만 놀이로도 존재한다는 것입니다. 그런데 우리는 몸의 놀이를 몸의 순간 변화로서 감정으로 이해하기 때문에 당연히 신의 몸은 놀이의 감정으로 존재합니다. 따라서 다음과 같은 결론은 영원의 필연성 그 자체로 진리의 필연성입니다.

신의 몸-놀이 안에서 자연의 모든 몸이 놀이를 한다는 것은 신의 감정 안에서 자연의 모든 감정이 무한한 방식으로 무한하게 생성과 변화 그리고 소멸을 겪는다는 것을 뜻하며, 이것은 사실상 자연의 모든 감정이 영원무한의 필연성 안에 존재한다는 것을 뜻합니다.

위의 결론으로부터 자연의 무한한 감정은 절대적으로 자신의 존재에 관하여 외부 원인에 의해서 결정되는 것이 아니라 자기 본성의 필연성으로서 신의 감정에 의해서 영원의 필연성으로 존재하도록 결정되었다는 사실이 필연적으로 연역됩니다. 이 결론으로부터 다시 자명한 결론이 다음과 같이 연역됩니다. 자연의 모든 감정은 자기 존재에 관하여 신의 감정 안에 존재하기 때문에 이 사실로부터 자연의 모든 감정은 본성에 관하여 서로 일치합니다. 그러므로 다음과 같은 결론이 최종적으로 나옵니다.

우리의 본성과 일치하는 감정은 필연적으로 선(善)이다. 지금 우리의 현실적인 감정은 신의 감정 안에 존재하며 신의 감정에 의해서 존재하도록 결정되었기 때문에 신의 감정은 나에게 필연적으로 선(善)이다. 이 진실 안에서 나 자신의 감정 및 세상 모든 감정이 현실적으로 존재하기 때문에 세상의 모든 감정은 필연적으로 선(善)이다. (이 지점에서 바로 앞의 정리 20은 진리로 확인됩니다.)

⑵ 후험-분석

'후험'(後驗/ a posteriori)이란, 지금 이 순간 현실적으로 느끼는 내 몸의 순간 변화로서 '현실적 감정'입니다. 그렇기 때문에 '후험-분석'이란 앞에서 이미 설명한 바와 같이, 후험을 감각적 현상이 아닌 그 자체의 본성으로 이해하는 것입니다. 이 지점에서 '감정과학'이 배우는 '감정의 자기이해'(the reflexive understanding of a feeling)가 실질적으로 '후험-분석'이라는 것을 쉽게 알 수 있습니다. '감정의 자기이해'에서 '감정'은 지금 현실적으로 느끼는 나의 감정이며, '자기이해'는 감정 스스로 자신을 이해함에 있어서 감각적 현상에 의존하여 해석하는 것이 아니라 자기 본성의 필연성을 자기 스스로 이해하는 것이기 때문입니다.

우리 스스로 매순간 새롭게 느끼는 감정 각각에 나아가 이와 같은 방식으로 배워보면, 그 어떤 감정도 우연적으로 존재하지 않는다는 것을 알 수 있습니다. 우리 스스로 우리 자신의 감정 및 우리가 경험하는 감정에 나아가 그에 고유한 본성의 필연성을 묻고 배우면, 그 어떤 감정도 우연으로 존재하지 않고 오직 필연만으로 존재한다는 사실을 확인할 수 있습니다. 그러므로 감정은 필연성으로 존재한다는 것을 알 수 있으며, 이 사실로부터 자연의 모든 감정은 본성상 서로 일치하며, 그러한 한에서 서로에게 선(善)입니다. 왜냐하면 본성상 서로 다른 것이 아니기 때문입니다. 모든 감정은 존재 그 자체의 본성에 관하여 영원무한의 필연성 안에 있기 때문에 이 사실로부터 '본래 하나'입니다.

그러므로 우리가 영원무한의 필연성으로 존재하는 것을 '신'으로 부른다면, 우리가 매순간 느끼며 경험하는 감정에 나아가 그것의 존재를 영원무한의 필연성으로 인식하는 한에서 무한한 방식으로 무한한 자연의 모든 감정이 단 하나의 예외 없이 신의 존재를 증명하는 성스러운 감정이라는 사실을 깨닫게 됩니다. 지금 나의 감정이 신의 존재를 증명합니다. 지금 내가 만나고 경험하는 자연의 모든 감정이 신의 존재를 증명합니다. 한편, 바로 앞의 논점에서 신의 존재는 우리의 본성과 일치하기 때문에 절대적으로 우리에게 선(善)이라고 확인했습니다. 따라서 자연의 모든 감정이 신의 본성 안에 있다는 사실로부터 자연의 모든 감정은 '나'에게 선(善)입니다. 이 사실을 배우는 학문이 감정과학입니다.

이상, 선험-분석과 후험-분석에 근거하여 지금 우리가 공부하는 정리를 이해했는데, 이 이해는 감정의 수설(竪說)입니다. 감정 그 자체의 본성을 선험-분석으로 이해할 수 있고 후험-분석으로 이해할 수 있습니다. 그 결과 모든 감정은 영원무한의 필연성 안에서 영원무한의 생명과 사랑으로 존재한다는 사실을 이해할 수 있습니다.

이 사실로부터 감정의 횡설(橫說)을 매우 쉽게 이해할 수 있습니다. 감정의 유한성은 자연 안에서 무한한 방식으로 무한하게 존재하는 감정이 무한 교차를 통해서 다시 무한한 방식으로 무한한 새로움으로 존재한다는 것을 뜻합니다. 이 교차를 횡설에서 보면 감정은 서로에게 변화를 일으키는 원인으로 존재합니다. 그러나 앞에서 우리는 감정의 수설에 근거하여 모든 감정의 순수지선을 이해했습니다. 따라서 감정의 횡설은 감정의 수설 안에 있으며, 이 사실에 근거하여 감정의 무한 교차를 통한 감정의 무한 변화도 영원무한의 필연성으로 순수지선 안에 존재한다는 결론이 나옵니다.

그러므로 감정을 느끼며 감정으로 살아가는 우리에게 가장 중요한 것은 감정의 수설 안에서 감정의 횡설을 이해하는 것입니다. 이 이해를 정립하는 감정과학이 행복을 위한 유일한 방법인 이유는 무엇보다도 감정을 떠나서 우리의 생김과 놀이를 이해할 수 없으며 그러한 한에서 감정의 진실을 순수지선으로 확인하는 감정과학이 아니면 감정의 순수지선을 절대적으로 이해할 수 없기 때문입니다. 이 이해를 결여하면 그만큼 우리는 불행하게 됩니다. 모든 감정의 순수지선을 이해하면, 다 좋은 감정으로 살아가는 다 좋은 세상을 누리게 됩니다. 생명과 사랑으로 살아가는 방법이 있다는 것을 우리가 이해해야 합니다.

우리가 감정에 대한 수동적 인식에 종속되는 한에서 감정은 본성상 서로에게 일치하지 않는다.

분석

감정은 오직 자기이해를 통해서 자기 본성의 필연성을 영원무한으로 확인하며, 그 결과 자신의 순수지선과 세상 모든 감정의 순수지선을 느끼며 그것으로 세상의 축복을 누리며 살아갑니다. 이 삶은 감정과학을 연마함으로써 매순간 새로운 감정을 최고의 완전성 안에서 순수지선으로 이해합니다. 무한한 감정은 영원무한의 필연성 안에 존재합니다. 반면, 감정이 자기이해가 아닌 외부 원인에 의해서 자신이 결정되었다고 수동적으로(타당하지 못하게) 인식하는 한에서, 감정은 자신뿐만 아니라 자연의 모든 감정이 본래부터 자기 안에 본래부터 품고 있는 자기 진실로서 순수지선을 알 수 없게 됩니다. 즉, 우리가 감정에 대한 수동적 인식에 종속되는 한에서 감정은 본성상 서로에게 일치하지 않습니다. 감정의 본성이 그렇다는 것이 아니라 감정의 본성을 잘못 이해하는 것입니다. 이러한 인식의 오류에 의해서 감정은 감각적 현상으로 해석됩니다. 그 결과 저마다 서로 다른 의견으로 감정의 선악을 판단하기 시작하며, 끝내 감정의 존재를 부정하려는 전쟁을 저지릅니다.

> 감정이 자기 존재를 이해함에 있어서 자기이해가 아닌 외부
> 원인에 의존하는 하는 한에서 이 이해는 수동적인 것이며 그
> 에 따라서 감정은 자신과 다른 감정에 대해서 본성상 서로
> 다르다고 생각하며, 동시에 그렇게 생각하는 감정 자신도 변
> 하기 쉽고 불안정하다.

분석

　감정이 자기 존재를 이해함에 있어서 자기이해가 아닌 다른 방식
에 의존하면, 그 즉시 감정은 영원의 필연성으로 결정된 자기 존재
의 진실인 '순수지선' 또는 '생명과 사랑'을 알 수 없게 됩니다. 감정
자신은 본래부터 영원무한의 필연성 안에서 순수지선으로 존재하도
록 결정되어 있음에도 불구하고 감정 그 자신이 자기의 진실을 모르
게 되는 것입니다. 감정 스스로 자기에게 고유한 본성으로서 순수지
선을 알 수 없다면, 당연히 감정은 자신과 교차하는 무한한 감정의
순수지선에 대해서도 알 수 없게 됩니다. 세상 모든 감정의 순수지
선을 믿고 배우는 것과 이 사실을 전혀 모르고 그저 감정의 감각적
현상만을 해석하기에 급급한 것, 이 둘을 '비교'해 보면(교차가 아니라)
어느 것이 감정의 행복과 안녕을 가져오는지 반대로 어느 것이 감정
의 불행과 불안을 가져오는지 쉽게 알 수 있습니다.

감정이 자기 존재를 이해함에 있어서 자기이해가 아닌 외부 원인에 의존하는 하는 한에서 이 이해는 수동적인 것이며 그 결과 감정은 서로에게 본성상 일치가 아닌 대립에 놓이게 된다.

분석

　무한한 방식으로 무한하게 존재하는 자연의 모든 감정은 존재에 관하여 절대적으로 신의 감정 안에 존재하기 때문에 필연적으로 본성상 일치합니다. 이 사실은 지금까지 분석한 정리들에 근거하여 명백한 진실입니다(특히, 「정리 28/ 29/ 30/ 31」). 이렇게 존재하는 감정이 뜻밖에 '감정의 자기이해'를 통해서 자신을 이해하지 못하면, 그로 인해 감정은 자신의 진실인 순수지선을 느끼지 못합니다. 그 즉시 감정은 자기 존재에서 뿐만 아니라 자신과 다른 모든 감정에 대해서도 존재에 고유한 진리로서 순수지선을 느낄 수 없게 됩니다. 감정들은 본성상 본래부터 자기와 일치하는 감정들과 교차하고 있음에도 불구하고 본성상 서로 대립하고 있다고 잘못 이해하는 것입니다.
　다시 강조합니다! 모든 감정은 영원의 필연성으로 신의 감정 안에 존재하며 그러한 한에서 무한한 방식으로 무한히 교차하는 감정은 본성상 서로 일치합니다. 순수지선 안에서 무한하게 서로 다른 감정이 순수지선으로 존재하며 서로 교차합니다. 이 사실을 감정 스스로 알지 못하면 뜻밖에 감정은 자신과 다른 감정과 대립하게 됩니다. 지금 나의 현실적 감정 그리고 세상에 존재하는 모든 감정이 영원무한의 필연성에 의해서 순수지선으로 존재하도록 결정되었다는 사실을 모르면, 감정은 자신뿐만 아니라 자신과 교차하는 모든 감정을 감각적 현상에 의존하여 그것의 시비(是非), 선악(善惡) 그리고 미추(美醜)를 판단하게 됩니다.

그러므로 순수지선 안에서 순수지선으로 존재하고 살아가도록 결정된 감정이 교차의 결과 서로 대립하는 지경에 처하는 것은 감정 인식의 오류로부터 필연적입니다. 그렇기 때문에 인식의 오류를 교정하는 것도 매우 간단합니다. 감정 스스로 자기이해 안에서 자기 본성의 필연성을 생각하고 배우면, 그것으로 감정은 자신에 대해서 능동적이며 타당한 인식을 형성합니다. 이 인식에 기초하여 감정이 세상 모든 감정에 나아가 자기이해와 동일한 방식으로 이해하면, 즉 각각의 감정에 나아가 그에 고유한 본성의 필연성을 인식하면, 감정은 자신과 세상 모든 감정을 순수지선 안에서 이해합니다.

감정이 이성의 지도를 따라서 자기이해로 살아가는 한에서 감정은 필연적으로 세상의 모든 감정과 본성에 관하여 언제나 일치한다.

분석

위의 정리는 지금까지 우리가 논의한 '정리'를 요약합니다. 감정의 욕망은 자기 행복을 위해서 '감정의 자기이해'를 추구합니다. 이 이해로 인도하는 감정과학을 연마함으로써 감정의 욕망은 자신과 세상 모든 감정을 영원무한의 필연성 안에서 영원무한의 생명과 사랑으로 이해합니다. 자연의 진실은 '다 좋은 감정'이 '다 좋은 교차'를 통해서 '다 좋은 세상'을 영원무한으로 살아가는 생명과 사랑입니다. 이 정리의 증명에서 스피노자는 다음과 같이 말합니다.

인간은 이성의 지도에 따라 생활하는 한에서만 인간의 본성에게 필연적으로 선인 것을, 즉 (제4부의 정리 31보충에 의하여) 각 인간의 본성과 일치하는 것을 필연적으로 행하게 된다.

_스피노자 『에티카』, 제4부 정리 35, 증명.
/강영계 번역(p.274.).

"인간은 이성의 지도에 따라 생활하는 한에서"는 감정으로 존재하는 우리가 감정의 자기이해를 통해서 우리 자신의 감정을 이해한다는 것을 뜻합니다. "인간의 본성에게 필연적으로 선인 것"은 신의 본성으로서 영원무한의 생명과 사랑입니다. 감정의 자기이해는 실질적으로 감정으로 존재하는 신의 자기이해입니다. 왜냐하면 감정의 자기이해는 신의 본성에 의해서 감정이 존재한다는 사실을 명백하게 이해하는 것이며, 그러한 한에서 신의 본성을 이해하는 것은 오직 신 이외 절대적으로 없기 때문입니다. "각 인간의 본성과 일치하는 것을 필연적으로 행하게 된다."는 것은 감정의 자기이해 안에서 모든 감정을 순수지선으로 이해한다는 것을 뜻합니다.

다음으로 「증명」에 대한 설명으로서 스피노자가 제시하는 「보충 1」을 보겠습니다.

인간은 이성의 지도에 따라 생활할 때 실로 자신의 본성의 법칙에 따라 행동하며(제3부의 정의 2에 의하여), 그러한 경우 다른 인간의 본성과 언제나 일치한다(제4부 정리 35에 의하여). 그러므로 인간에게는 개체 중에서 이성의 지도에 따라 생활하는 인간보다 더 유익한 것은 없다.

_스피노자 『에티카』, 제4부 정리 35, 보충 1.

/강영계 번역(p.274.).

"인간은 이성의 지도에 따라 생활할 때 실로 자신의 본성의 법칙에 따라 행동"이란 '감정의 자기이해'로부터 당연한 것입니다. 감정은 자기이해를 통해서 자기 본성에 고유한 영원무한의 필연성을 이해하는 것이므로 인간이 이성의 지도에 따라 생활한다는 것은 실질적으로 감정 스스로 자기 본성의 필연성을 이해하며 오직 이 이해만을 따라서 살아가는 것입니다. 이 말은 감정이 자신의 순수지선을 명백하게 이해함으로써 그에 근거하여 세상 모든 감정을 순수지선으로 명백하게 이해하며 산다는 것을 뜻합니다. 이에 근거하여 위의 인용문 중에서 "그러므로 인간에게는 개체 중에서 이성의 지도에 따라 생활하는 인간보다 더 유익한 것은 없다."는 것은 당연한 결론입니다.

감정이 자신의 순수지선을 이해함으로써 세상 모든 감정을 순수지선으로 이해한다는 것은 감정을 느끼며 경험하는 우리 자신이 모든 감정을 생명과 사랑으로 경외한다는 것을 뜻합니다. 우리 스스로 우리 자신의 감정을 함부로 하지 않고, 더 나아가 그에 고유한 본성의 필연성을 이해합니다. 같은 방식으로 세상 모든 감정을 이해합니다. 감정이 이러한 방식으로 감정의 진실을 이해하면, 그 어떤 감정도 선악 판단의 대상으로 존재하지 않습니다. 모든 감정이 순수지선 그 자체로 존재하고 있다는 사실을 우리가 명명백백하게 이해하면, 이 이해와 동시에 그 어떤 감정도 지금 자신의 존재를 부정당하지 않습니다. 따라서 폭력이나 살인 또는 전쟁은 발생하지 않습니다.

위와 같이 감정의 진실을 밝히면 세상의 평화와 행복을 위한 방법은 매우 간단합니다. 지금 현실적인 감정으로 존재하는 우리 자신이 자기 스스로 자기의 진실이 무엇인지 이해하는 것입니다. 이렇게 감정의 자기이해가 분명할 때, 우리는 모든 감정을 감각적 현상이 아닌 그 자체에 고유한 본성으로서 영원무한의 필연성 또는 순수지선으로 확인합니다. 그렇기 때문에 스피노자는 「보충 2」에서 다음과 같이 말합니다.

각 인간이 자기에게 유익한 것을 가장 많이 추구할 때 인간은 서로에게 가장 유익하다.

_스피노자 『에티카』, 제4부 정리 35, 보충 2.

/강영계 번역(p.275.).

"각 인간이 자기에게 유익한 것"은 감정의 자기이해입니다. 이 이해가 아니면 감정은 절대적으로 자신의 순수지선을 확인할 수 없습니다. 감정이 자기이해를 통해서 자신의 순수지선을 이해할 때, 감정은 자신과 무한히 교차하는 무한한 감정을 순수지선으로 이해합니다. 즉, 모든 감정을 감각적 현상이 아니라 그에 고유한 본성의 필연성을 이해한다는 뜻입니다. 따라서 "인간은 서로에게 가장 유익하다."라는 결론은 지극히 당연합니다.

그러므로 「보충 2」에 대한 다음과 같은 스피노자의 주석은 현대 심리학이나 정신 의학 등과 같은 인간의 마음을 다루는 학문에게 매우 중요합니다.

인간의 행위를 고찰하는 것이 짐승의 행동을 고찰하는 것보다 훨씬 더 가치 있는 일이며, 또한 우리들의 인식에 한층 더 가치 있는 일임에 대해서는 다른 곳에서 더 상세히 다루기로 하겠다.

_스피노자 『에티카』, 제4부 정리 17, 주석.

/강영계 번역(p.260.).

"인간의 행위를 고찰하는 것이 짐승의 행동을 고찰하는 것보다 훨씬 더 가치 있는 일"이라고 말할 때, 여기에서 '인간의 행위'란 '감정의 자기이해'로 살아가는 인간의 진실입니다. 스피노자는 이 진실에 대해서 배우자고 주장합니다. 이 배움이 스피노자가 제시하는 윤리학의 핵심입니다. 인간의 감각적 행위나 그 현상들을 종합하는 것이 절대 아

닙니다. 감정의 자기이해로 살아가는 인간의 행위는 당연히 자신에게
주어진 감정만을 따르는 짐승이 행동과 다릅니다. 전자는 감정의 자
기이해이며, 후자는 감정의 자기이해가 부재합니다.

그러므로 학문의 핵심은 감정의 자기이해로 살아가는 사람이 무
엇을 배우는지 그리고 그 실체는 무엇인지 이해하는 것입니다. 이
이해로부터 우리도 감정의 자기이해를 연마할 수 있습니다. 그 결과
우리는 '감정의 자기이해'가 우리 자신의 행복 그리고 문명의 안녕과
번영을 위해서 얼마나 중요한지 깨닫게 됩니다. 왜냐하면 감정의 자
기이해로 살아가는 사람은 모든 것을 감각적 현상으로 해석하는 것
이 아니라 그 각각에 고유한 본성의 필연성을 명백하게 이해하기 때
문입니다. 이 이해로부터 감정으로 살아가는 세상은 순수지선의 세상
으로 확인되며, 이 이해로부터 배움은 무한히 진보합니다.

참고로 퇴계 이황은 『성학십도』(聖學十圖)라는 책에서 '성인을 배우자!'
(學聖人)라고 말했습니다. 퇴계의 성인(聖人)은 스피노자의 주장과 동일하게
'감정의 자기이해'로 살아가는 사람입니다. 그렇기 때문에 성인을 제대로 배
우는 사람은 성인이 연마하는 '감정의 자기이해'가 무엇인지 이해하는 사람
입니다. 성인의 행동을 모방하는 것이 절대 아닙니다. 그것은 성인을 제대로
배운 것이 아닙니다. 감정의 자기이해로 살아가기 때문에 그 사람이 성스러
운 사람, 즉 '성인'입니다. 이 분명한 사실에 근거하여 우리는 성인이 연마
하는 감정의 자기이해가 무엇인지 이해해야 합니다. 그 결과 우리는 성인과
동일하게 감정의 자기이해로 살아가는 인생의 성스러운 축복을 누리게 됩니
다. 이것이 성인을 제대로 배운 것입니다.

덕을 추구하는 감정의 최고선은 모든 감정에 공통되며, 모든 감정들이 그것을 즐길 수 있다.

분석

감정의 최고선은 사실상 감정 자신입니다. 왜냐하면 감정이 자기 이해를 통해서 자기 존재에 고유한 본성으로서 영원무한의 필연성을 자기 스스로 명백하게 이해하면, 감정은 자기 존재가 신의 존재를 증명하는 성스러운 것임을 이해하기 때문입니다. '감정의 자기이해'가 사실상 '신의 자기이해'입니다. 감정이 이러한 방식으로 자기 본래의 진실을 이해하면, 감정은 세상 모든 감정에 대해서도 감각적 현상이 아닌 그 자체에 고유한 본성의 필연성으로 이해하게 됩니다. 그 결과 감정은 자신을 비롯해서 자연의 모든 감정(몸의 순간 변화)이 영원무한의 필연성 안에서 순수지선으로 존재하고 있다는 사실을 깨닫습니다.

이러한 깨달음을 자명하게 이해하는 것이 '덕'(德)입니다. 정신의 최고선이 덕을 추구하는 이유입니다. 그렇기 때문에 감정이 자기이해를 행복으로 욕망하는 '감정의 욕망'이 덕이며, 이 사실로부터 감정의 욕망은 이성 그 자체입니다. 즉, 감정의 자기이해를 행복으로 추구하는 감정의 욕망이 덕이며, 덕을 추구한다는 것은 감정의 욕망이 자기이해를 행복으로 추구하는 것입니다. 감정은 자기이해를 통해서 자기 존재를 영원무한의 생명과 사랑으로 확인하며, 더 나아가 자신이 경험하는 모든 감정을 영원무한의 생명과 사랑으로 이해합니다. 모든 감정을 영원무한의 생명과 사랑으로 이해할 수 있는 유일한 근거는 그 모든 감정을 존재에 고유한 본성으로서 영원무한의 필연성으로 이해하기 때문입니다.

영원무한의 필연성 안에서 영원무한의 생명과 사랑으로 존재하는 것이 '신'입니다. 그런데 지금 우리가 현실적으로 느끼는 우리 자신의 감정 그리고 경험하는 자연의 모든 감정은 그 존재 자체로 영원무한의 필연성을 본성으로 가지며, 그러한 한에서 모든 감정은 절대적으로 영원무한의 생명과 사랑으로 존재합니다. 감정으로 존재하는 우리가 이 사실을 이해한다면, 이 이해는 사실상 신의 자기이해입니다. 왜냐하면 오직 신만이 신 자신을 이해할 수 있기 때문입니다. 따라서 감정의 최고선은 실질적으로 영원무한의 필연성 안에서 영원무한의 생명과 사랑으로 존재하는 감정 자신이며, 동시에 이 사실을 이해하는 감정 자신의 욕망 또는 욕망의 덕입니다. (참고로 이 덕은 우리 스스로 자신의 몸에서 엄마아빠를 생각하는 정신의 능력에 의해서 증명됩니다.)

그러므로 "덕을 추구하는 감정의 최고선"은 감정 자신이며, 감정으로 존재하는 '신' 자신입니다. 감정 스스로 자기 존재의 진실을 '감정으로 존재하는 신'으로 이해할 때, 감정은 자신이 경험하는 모든 감정을 그 자체에 고유한 본성으로 이해함으로써 그 모든 감정이 신의 감정으로 존재하고 있다는 사실을 깨닫습니다. 왜냐하면 감정 스스로 자신을 신으로 이해하는 한에서 감정은 자신의 무한 변화를 영원무한의 필연성 안에서 이해하며, 동일하게 자신과 교차하는 모든 감정에 대해서도 영원무한의 필연성 안에서 묻고 배우기 때문입니다. 따라서 "모든 감정들이 그것을 즐길 수 있다."는 것은 순수지선으로 존재하는 감정이 모든 감정의 순수지선을 이해하고 느낀다는 것을 뜻합니다.

> 덕을 추구하는 모든 감정은 자신을 위해서 추구하는 선(善)을
> 다른 감정을 위해서도 욕망할 것이며, 이 욕망은 자신이 신에
> 대한 인식을 보다 더 크게 하면 할수록 보다 더 커진다.

분석

이 정리에 등장하는 '신'(神)은 지금까지 논의한 정리들에 근거하여 감정의 생김과 놀이에 고유한 본성의 필연성, 즉 순수지선의 생명과 사랑입니다. 이 진실은 영원의 필연성으로 감정 자신의 진실이며, 그렇기 때문에 감정은 오직 자기이해를 통해서 자기 스스로 자기 존재의 진실을 명백하게 이해합니다. 감정은 자기 진실을 향한 자기이해를 자기 행복을 위한 유일한 방법으로 이해하기 때문에 감정의 욕망은 오직 자기이해를 추구합니다. 이 욕망이 '덕'(德)입니다. 따라서 덕을 추구한다는 것은 감정의 자기이해로 살아가는 것이며, 이 삶은 최고선으로서 신에 대한 인식입니다. 욕망의 덕이 곧 이성임을 알 수 있습니다.

감정이 이 방식으로 자신의 진실을 이해하면, 이 이해에 근거하여 감정은 자신과 교차하는 모든 감정들이 자기이해를 행복으로 추구하기를 욕망합니다. 어느 한 감정이 자기이해를 통해서 자신의 순수지선을 인식함과 동시에 세상 모든 감정의 순수지선을 인식하면,

당연히 그 감정은 세상 모든 감정이 자신이 정립한 이해와 같은 방식으로 자신에 대해서도 이해하기를 바랍니다. 왜냐하면 어느 한 감정만이 홀로 세상 모든 감정의 순수지선을 이해하는 것보다 세상 모든 감정이 감정의 진실을 순수지선으로 이해하는 것이 행복을 보다 더 크게 하는 방법이기 때문입니다. 이로부터 감정의 교차는 철저히 순수지선을 즐기는 행복으로 확인됩니다.

다음으로 다룰 주제는 "이 욕망은 자신이 신에 대한 인식을 보다 더 크게 하면 할수록 보다 더 커진다."는 것이 뜻하는 바가 무엇인지 명확히 정리하는 것입니다. 지금 현실적으로 존재하는 감정이 자기이해를 통해서 자기 존재를 신의 감정으로 이해하면, 그 감정은 자신이 확립한 자기이해의 진리 안에서 세상 모든 감정을 자기이해로 이해합니다. 내가 오늘 A라는 감정과 교차할 때, 나는 A에 고유한 본성을 영원무한의 필연성으로 인식합니다. 다음으로 B라는 감정과 교차하게 되면, 나는 B에 고유한 본성을 영원무한의 필연성으로 인식합니다.

위와 같이 감정이 자기이해 안에서 매순간 무한히 새로운 자신을 이해하며 더 나아가 자신과 무한히 교차하는 무한한 감정을 이해하면, 감정은 영원무한의 필연성 안에서 무한한 방식으로 무한하게 영원무한의 필연성을 이해하게 됩니다. 영원무한의 필연성은 절대적으로 존재하는 단 하나의 실체이기 때문에 이 실체를 향한 인식은 영원불변이지만, 그 안에는 무한한 방식으로 무한한 영원무한의 필연성이 존재하기 때문에 이 실체의 무한한 속성을 향한 인식은 완전성(최고선)으로부터 더 큰 완전성(최고선)으로 이행합니다. 이 이행이 감정의 자기이해를 연마하는 감정에 주는 최상의 축복입니다.

이 축복을 누리면 누릴수록 감정은 '자기이해'만을 자신의 행복으로 추구하며, 그에 비례하여 축복 속에 있는 감정은 다른 모든 감정이 자기이해를 통해서 자신과 세상 모든 감정을 이해하기를 욕망합니다. 오직 이 방법만이 자신을 비롯해서 세상 모든 감정을 영원무한의 생명과 사랑으로 이해하기 때문에 모든 감정이 이 이해에 참여하면 할수록 감정은 더 이상 서로에게 지옥이 되거나 전쟁을 추구하지 않습니다. 오히려 서로에 대한 타당한 이해를 추구합니다. 예를 들어 어떤 감정들이 서로를 증오하거나 미워할 때, 그들이 자기이해를 추구하면 결국 그들은 서로를 생명과 사랑으로 확인합니다.

이 지점에서 우리는 감정의 교차가 전쟁 또는 평화로 전개되는 이유를 이해할 수 있습니다. 스피노자는 다음과 같이 말합니다.

자신이 사랑하는 것을 다른 사람들이 사랑하도록 그리고 자기의 의향대로 다른 사람들이 생활하도록 오로지 정서에 의하여 노력하는 사람은 단지 충동적으로 행동하므로 사람들의 미움을 받는다. 그런데 다른 사람들을 이성에 의하여 이끌어 가려고 노력하는 사람들은 충동적으로가 아니라 인간적· 선의적으로 행동하고 그의 마음은 그 자신과 항상 일치한다. 말하자면 참다운 덕은 오직 이성의 지도에 따라 생활하는 것일 뿐이다. 그러므로 무능력이란 인간이 자기의 외부에 있는 사물에 수동적으로 이끌리며, 그 자신 안에서만 고찰된 그의 본성이 요청하는 것이 아니라 외부의 공통된 상태가 요구하는 것을 행하도록 외부의 사물에 의하여 결정된다.

_스피노자 『에티카』, 제4부 정리 37, 주석 1.
/강영계 번역(p.278~279.).

감정이 자기이해를 통해서 자신 그리고 세상 모든 감정을 그 자체에 고유한 본성인 영원무한의 필연성을 명석판명하게 이해하면, 감정은 "자신이 사랑하는 것을 다른 사람들이 사랑하도록 그리고 자기의 의향대로 다른 사람들이 생활하도록 오로지 정서에 의하여 노력하는 사람"으로 살지 않습니다. 감정은 자기 존재를 영원무한의 필연성으로 인식하기 때문에 이 인식이 분명한 감정은 세상 모든 감정도 각각 자기 존재에 관하여 영원무한의 필연성을 본성으로 갖는다는 사실을 믿고 배웁니다. 그러한 한에서 어느 한 감정은 자신과 다른 감정에게 자신의 방식을 강요하거나 고집하지 않습니다. 이 사실을 이해하지 못하고 단순히 사랑의 이름으로 자신을 강요하면, 그 즉시 전쟁입니다.

아래에 인용으로 제시한 유명한 노래 가사를 살펴봅시다.

Too much love will kill you.

감정의 자기이해가 아니면, 감정은 사랑의 이름으로 자신이 하는 모든 폭력과 전쟁을 정당화합니다. 심지어 자신이 폭력과 전쟁의 한 가운데 있다는 사실조차 인식하지 못합니다. 이것을 퇴계 이황은 『성학십도』에서 '인물위지병'(認物爲己之病)과 '망탕무교섭지환'(莽蕩無交涉之患)이라고 진단합니다. 감정이 건강하지 못하고 병에 든 것입니다. '인물위기지병'은 "자신이 사랑하는 것을 다른 사람들이 사랑하도록 그리고 자기의 의향대로 다른 사람들이 생활하도록 오로지 정서에 의하여 노력하는 사람"입니다. 이 사람(감정)은 자신이 교차하는 모든 감정을 그 자체에 고유한 본성으로 이해하지 못하기 때문에 이 비극을 '망탕무교섭지환'이라 부릅니다. 현실적으로 존재하는 감정이 자기 본성의 필연성과 교차하지 못하는 것입니다.

그러나 감정이 자기이해를 통해서 자신의 진실과 세상 모든 감정의 진실을 이해하면, 그 즉시 감정은 순수지선 안에서 순수지선을 무한히 배워서 살아가는 축복을 누립니다. 더 나아가 세상 모든 감정들이 이러한 방식으로 이해하며 살아가기를 욕망합니다. "다른 사람들을 이성에 의하여 이끌어 가려고 노력하는 사람들은 충동적으로가 아니라 인간적 · 선의적으로 행동하고 그의 마음은 그 자신과 항상 일치한다."는 것입니다. 이렇게 모든 감정이 자신을 비롯해서 자연의 모든 감정을 배워서 이해하면, 이러한 배움의 삶이 곧 "오직 이성의 지도에 따라 생활하는 것"입니다. 이 배움이 교차학 또는 감정과학입니다.

　　이 인식이 왜 중요한지는 계속해서 언급했습니다. 참고로 스피노자의 설명을 살펴봅시다.

　　각자는 최고의 자연권에 의하여 존재하며 따라서 각자는 자기의 본성의 필연성에서 생기는 것을 최고의 자연권에 의하여 행한다. 그러므로 각자는 최고의 자연권에 의하여 무엇이 선이고 무엇이 악인지를 판단하며, 자기의 뜻대로 자신의 이익을 도모하고(제4부의 정리 19와 20참조) 복수하며(제3부의 정리 40의 보충 2 참조), 또한 자기가 사랑하는 것을 유지하고 자기기 미워하는 것을 파괴하려고 한다(제3부의 정리 28 참조). 만일 인간이 이성의 지도에 따라서 생활하였다고 한다면 각자는 다른 사람을 전혀 해치치 않고 자기의 이 권리를 누렸을 것이다(제4부의 정리 35의 보충의 1에 의하여).

_스피노자 『에티카』, 제4부 정리 37, 주석 2.
/강영계 번역(p.280.).

　　그러므로 위의 인용문에 근거하여(핵심을 분명히 드러내기 위해서 밑줄을 그었습니다.) 다음과 같은 결론은 필연적입니다. 감정이 자기이해를 확립하고 그것으로 살아가면 감정은 절대적으로 생명과 사랑을 누리는 축복을 받습니다. 그러나 감정이 자기이해가 아닌 외부의 어떤 것에 의해서 자신이 결정되었다는 자기 인식의 오류(타당하지 못한 인식/ 수동적 인식)에 빠지면, 순수지선의 감정은 뜻밖에 자신의 순수지선 뿐만 아니라 자연의 모든 감정에 고유한 순수지선을 알 수 없게 됩니다. 그 결과 감정은 "자기의 뜻대로 자신의 이익을 도모하고 복수하며, 또한 자기가 사랑하는 것을 유지하고 자기기 미워하는 것을 파괴"하려 합니다.

제4부 정리 38: 날마다 새로운 감정

인간이 자신의 몸을 더 많은 방식으로 순간 변화를 겪게 하고 한편으로 자신의 몸을 통해서 외부의 몸이 보다 더 많은 방식으로 순간 변화를 겪도록 하는 것은 자신에게 이익이 된다. 이러한 방식으로 인간이 자신의 몸으로 하여금 보다 더 많은 방식으로 순간 변화를 겪게 하고, 한편으로 자기의 몸을 통해서 외부의 몸이 보다 더 많은 순간 변화를 겪도록 하는 것은 그만큼 이익이 된다. 이와 반대로 인간이 자신의 몸과 외부의 몸으로 하여금 순간 변화를 보다 덜 느끼게 하면 그만큼 해롭다.

분석

감정은 오직 자기이해를 통해서 최고의 완전성으로 자신과 자연의 모든 감정을 참답게 이해합니다. 그런데 몸의 순간 변화는 무한한 방식으로 무한하게 이루어지며, 따라서 감정은 무한하게 새롭습니다. 이 사실로부터 감정의 자기이해는 무한성으로 존재하게 됩니다. 왜냐하면 이미 언급한 바와 같이 감정이 무한한 방식으로 무한히 새롭기 때문입니다. 다음으로 감정의 자기이해가 무한하다는 것은 감정이 최고의 완전성(순수지선)을 무한하게 이해하며 느낄 수 있다는 것을 뜻합니다. 감정은 무한히 새로운 감정에 대한 자기이해를 통해서 최고의 완전성을 무한하게 즐길 수 있게 됩니다. 따라서 날마다 새로운 감정을 무한히 새롭게 하는 것은 감정이 누릴 수 있는 최고의 행복을 보다 더 크게 하는 것입니다.

참고로 이러한 기쁨의 노력을 중국 중세 시대인 북송의 성리학자 주자(朱子)는 『대학』이라는 책에서 '작신민'(作新民)으로 확인했습니다. 본래부터 무한한 방식으로 무한히 새로운(新) 감정을 보다 더 적극적으로 무한히 새롭게(作) 하는 것이 '작신민'입니다. 그에 비례하여 감정의 자기이해도 무한히 증대합니다. 따라서 감정은 자신이 누릴 수 있는 최고의 행복을 무한히 크게 할 수 있습니다.

인간의 몸을 구성하는 각각의 부분들이 상호적으로 갖는 운동과 정지의 비율을 일정하게 유지하는 것은 좋다. 이에 반대로 이러한 비율을 변화시키는 것은 나쁘다.

분석

　몸의 순간 변화는 무한한 방식으로 무한히 새롭지만, 그럼에도 불구하고 몸의 순간 변화는 절대적으로 영원무한의 필연성 안에 존재합니다. 그렇기 때문에 몸의 순간 변화는 우리의 고정관념을 넘어 이전과는 완전히 다른 방식으로 이루어질 수 있습니다. 예를 들어서 우리가 길을 걷는 중에 갑작스럽게 교통사고를 당하게 되면 우리 몸의 순간 변화는 이전과는 완전히 다른 상태에 처하게 됩니다. 매우 심각하게 다리를 절단해야 하는 변화를 겪을 수 있으며, 극단적으로 뇌사 상태에 들어갈 수 있습니다. 이 모든 것은 몸의 무한 변화 안에 있습니다.

　이 모든 변화는 당연히 영원무한의 필연성 안에 있지만, 이 변화는 이전과는 급격히 다른 변화의 양상입니다. 다리를 절단하거나 뇌사에 처하는 것보다는 두 발로 건강하게 세상을 살아가는 것이 더 좋습니다. 그렇기 때문에 몸의 순간 변화를 이러한 방식으로 이해하는 한에서 우리는 어떻게 하면 몸의 순간 변화가 몸의 활동 능력을 보다 더 크게 하는 기쁨을 향해 갈 수 있는지 그에 고유한 필연성을 열심히 묻고 배우게 됩니다.

　그러므로 몸의 순간 변화를 감각적 현상이 아닌 그 자체의 본성으로 명백하게 이해하는 것이 중요합니다. 이 이해로부터 모든 몸의 순간 변화는 영원무한의 필연성 안에서 순수지선으로 존재한다는 것을 알 수 있습니다. 이 이해가 분명할 때, 우리는 보다 적극적으로 몸의 순간 변화를 기쁨으로 인도할 수 있습니다. 몸의 순간 변화는 절대적으로 순수지선이지만, 그것은 우리에게 기쁨 아니면 슬픔입니다. 따라서 우리는 몸의 순간 변화를 슬픔 보다는 기쁨으로 실현하기 위해 노력해야 합니다. 이것이 감정과학의 공효(功效)입니다.

인간의 사회적인 삶을 촉진하거나 사람들이 조화롭게 함께 살 수 있도록 하는 것은 유익하며, 반면에 국가나 사회에 불화를 가져오는 것은 나쁜 것이다.

분석

앞의 정리는 감정에 대한 참다운 인식이 가져오는 공효이며, 지금 이 정리는 그 공효를 보다 더 확충한 것입니다. 이러한 감정과학의 논리 또는 공효를 『대학』은 '수신제가치국평천하'(修身齊家治國平天下)라고 합니다. 감정의 자기이해가 한 사회, 한 나라, 그리고 온 우주의 행복과 평화로 직결된다는 것입니다. 감정은 자기이해를 통해서 자신의 순수지선과 자신이 교차하는 모든 감정을 순수지선으로 확인합니다. 그렇기 때문에 감정이 자기이해로 살아가는 한에서 감정은 절대적으로 생명과 사랑만을 확인하며 촉진합니다. 감정의 자기이해(修身)로부터 온 우주의 평화(平天下)는 필연적으로 이루어집니다. 이 진실을 스피노자는 기하학적 질서의 필연성에 입각하여 앞의 정리와 이번 정리를 통해서 증명하고 있습니다.

제4부　정리 41: 감정과학의 기쁨

기쁨은 그 자체로 악(惡)이 아니고 선(善)이다. 이와 반대로 슬픔은 그 자체로 악(惡)이다.

분석

이 정리에 등장하는 '선악'(善惡)은 감정의 존재 또는 가치를 판단하는 것이 아닙니다. 『4부』의 「정의 1/ 2」과 그에 기초한 「정리 27」을 보면, 이 점을 명확하게 이해할 수 있습니다.

정의 1: 선(善)

선(善)에 관하여 나는 우리들에게 유용하다고 우리가 확실히 아는 것이라고 이해한다.

정의 2: 악(惡)

악(惡)에 관하여 나는 우리가 어떤 선(善)한 것을 소유함에 있어서 방해되는 것이 무엇인지 우리가 확실하게 아는 것으로 이해한다.

정리 27: 감정의 선악 판단

감정은 자기이해에 도움이 되는 것을 확실하게 선(善)으로 이해하며, 반대로 자기이해를 방해할 수 있는 것을 확실하게 악(惡)으로 이해한다. 이 이해 이외에 감정은 그 어떤 것에 대해서도 선악(善惡)을 확실하게

판단할 수 없다.

감정에 대한 참다운 인식으로 인도하는 '감정의 자기이해'가 '선'(善)입니다. 이 이해가 아니면 감정은 절대적으로 자신 및 자신이 교차하는 모든 감정을 영원무한의 필연성 안에서 최고의 완전성 또는 순수지선으로 이해할 수 없습니다. 이 이해가 분명할 때 감정은 모든 감정의 순수지선을 느끼게 됩니다. 그렇기 때문에 엄격히 말해서 '악'(惡)은 감정의 존재에 고유한 본성이 아니라 감정에 대한 타당하지 못한 인식입니다. 감정의 순수지선을 느낄 수 없으면, 감정은 그저 감각적 현상으로 타당하지 못하게 이해됩니다. 그 결과 저마다 감정에 대해서 선악을 판단하며 서로에게 강요합니다. 동일한 감정을 두고도 '좋은 것' 또는 '나쁜 것'으로 구분하게 됩니다.

감정의 자기이해는 모든 감정을 순수지선으로 이해하며 느끼기 때문에 이 이해는 '선'(善)입니다. 감정은 이 인식과 함께 반드시 기쁨을 느낍니다. 반면, 감정이 자기이해를 통해서 자신을 이해하지 않으면 모든 감정을 감각적 현상에 근거하여 선악(善惡)으로 판단하기 때문에 이 이해는 '악'(不善)입니다. 감정은 이 인식과 함께 반드시 슬픔을 느낍니다. 아래의 정리를 검토하겠습니다.

정리 8: 선악(善惡)

선(善)과 악(惡)에 대한 인식은 우리가 그것을 의식하는 한에서 기쁨 또는 슬픔의 감정에 지나지 않는다.

정리 14: 감정의 통제

감정을 통제하는 유일한 방법은 감정 스스로 선악(善惡)에 대한 참다운 인식을 형성함으로써 자신의 순수지선을 느끼는 것이며, 그렇기 때문에 감정 스스로 자신에 대한 올바른 이해와 동시에 자신의 순수지선을 느끼지 못하면 절대적으로 감정은 통제되지 않는다.

"선(善)과 악(惡)에 대한 인식"은 감정의 자기이해의 여부에 의해서 결정됩니다. 감정의 자기이해가 분명하면, 자연의 모든 감정을 순수지선으로 믿고 배웁니다. 그러나 이 이해가 분명하지 않으면 자연의 모든 감정을 감각적 현상이나 혹은 감정에 의한 사건의 결과적 현상에 근거하여 선악으로 해석합니다. 문제는 이와 같이 감정을 해석하면 절대적으로 감정은 통제되지 않는다는 것입니다. 이에 대한 증명이 "감정 스스로 자신에 대한 올바른 이해와 동시에 자신의 순수지선을 느끼지 못하면 절대적으로 감정은 통제되지 않는다."입니다. 그러므로 감정과학으로 느끼는 기쁨은 필연적으로 '선'이지만, 이 학문을 연마하지 않음으로써 느끼는 슬픔을 필연적으로 '악'입니다.

그러므로 다음과 같은 결론은 영원의 진리입니다.

감정으로 살아가는 우리는 본래부터 기쁨을 느끼며 살아가도록 결정되어 있습니다. 이 진리를 공자(孔子)는 '학이시습지, 불역열호'(學而時習之, 不亦說乎)라는 명제로 확인했습니다. 감정이 감정과학으로 자기이해를 확립하고 살아가면, 필연적으로 자기 본래의 기쁨을 누리게 되어 있습니다. 이것이 행복의 방법입니다.

　　『감정의 예속과 자유』

제4부　정리 42: 우울의 즐거움
즐거움은 지나치게 될 수 없으므로 항상 선(善)이며, 반대로 우울함은 항상 악(惡)이다.

분석

이 정리는 바로 앞의 정리에 근거하여 당연합니다. '즐거움'은 기쁨이며, '우울함'을 슬픔입니다. 여기에서 중요한 것은 '우울'의 감정입니다. 이 감정도 그 자체의 본성에서 보면 그러한 방식으로 느끼지 않으면 안 되는 필연성에 기초하여 존재합니다. 그렇기 때문에 우리가 '우울하다.'고 말할 때, 이 말을 추상적인 개념으로 받아들여서는 안 됩니다. 우리는 '우울'을 무한한 방식으로 무한하게 느끼며, 그러한 한에서 그 각각의 '우울'은 자기 존재에 관하여 자신만의 고유한 본성의 필연성을 갖습니다. 이러한 방식으로 '우울'의 감정이 자기 스스로 자기 본성의 필연성을 이해하면(감정의 자기이해), 우울은 그에 비례하여 자기 존재에 관하여 능동적인 활동 능력을 갖습니다. 자신이 왜 우울한 감정을 느끼는지 그 필연성을 이해하면, 그 이해만큼 자신은 우울의 감정에 예속되지 않습니다. 그 결과 우리는 이 감정의 주인으로 존재합니다. 우울의 감정 안에서도 기쁨을 잃지 않습니다. 우울의 감정도 즐겁게 사는 방법이 있습니다.

제4부 정리 43: 고통의 아름다움

흥분은 지나칠 수 있으며 그렇기 때문에 악(惡)일 수 있다. 그러나 흥분이 악(惡)인 한에서 그것의 지나침을 막는 고통은 선(善)일 수 있다.

분석

이 정리는 각종 중독 증세로 인해 고통을 겪고 있는 사람을 위한 것입니다. 중독자가 어떠한 필연성으로 자신이 중독에 빠져 있는지 이해함과 동시에 그 중독으로부터 필연적으로 수반되는 각종의 고통을 이해하면, 중독자는 자기이해의 기쁨을 느끼게 됩니다. 중독자는 자기이해의 감정으로 중독을 치료할 수 있습니다. 중독자가 자기이해 안에서 중독을 이해하고 그와 동시에 자기이해의 기쁨을 느끼면, 이 기쁨의 정도에 비례하여 중독자는 자신의 중독을 통제할 수 있습니다. 여기에서 중요한 것은 의지력은 방법이 아니라는 사실입니다. 중독자는 오직 자기이해를 통해서 자신의 중독을 통제하는 데에 성공할 수 있습니다. 물론 이 경우 중독자의 흥분은 억제되거나 통제되기 때문에 필연적으로 고통이 수반됩니다. 그러나 이럴 때일수록 자기이해에 집중해야 합니다. 그 결과 중독자는 자신의 고통을 감정의 자기이해에 근거하여 그것이 사실상 선(善)이며 기쁨의 감정임을 깨닫습니다. 이것으로 중독자는 자신을 치유할 수 있습니다.

사랑과 욕망은 지나칠 수 있다.

분석

감정이 자기이해를 통해서 자기 존재에 고유한 본성의 필연성을 영원무한으로 확인하면, 감정은 자신이 영원무한의 생명과 사랑 안에서 영원무한의 생명과 사랑을 받아서 생겨나고 놀이한다는 사실을 이해하며 그와 동시에 최고의 완전성으로 기쁨과 즐거움을 누리게 됩니다. 그렇기 때문에 감정은 오직 '자기이해'만이 행복을 위한 유일한 방법으로 자신에게 주어져 있음을 이해하며, 그러한 한에서 감정은 오직 자기이해만을 사랑하며 욕망합니다. 감정의 욕망이 이성 그 자체로 존재하는 이유입니다.

이러한 방식으로 감정이 자기 행복의 완전성을 이해하는 것을 두고 퇴계는 『성학십도』에서 '불대외구'(不待外求)라고 했습니다. 참다운 행복은 감정 밖에서 구하는 것이 아니라 감정 안에 본래부터 존재한다는 뜻입니다. 이 행복이 분명한 감정은 자신과 다른 무한한 감정과 무한히 교차하며 자기 행복의 완전성을 보다 더 크게 합니다. 자신의 무한 새로움과 함께 자신과 교차하는 무한 감정의 무한 새로움을 영원무한의 필연성 안에서 순수지선으로 배울 때, 감정은 자신의 기쁨과 즐거움을 무한히 증진시킬 수 있습니다.

정리 37: 영원무한의 감정

덕을 추구하는 모든 감정은 자신을 위해서 추구하는 선(善)을 다른 감정을 위해서도 욕망할 것이며, 이 욕망은 자신이 신에 대한 인식을 보다 더 크게 하면 할수록 보다 더 커진다.

정리 38: 날마다 새로운 감정

인간이 자신의 몸을 더 많은 방식으로 순간 변화를 겪게 하고 한편으로 자신의 몸을 통해서 외부의 몸이 보다 더 많은 방식으로 순간 변화를 겪도록 하는 것은 자신에게 이익이 된다. 이러한 방식으로 인간이 자신의 몸으로 하여금 보다 더 많은 방식으로 순간 변화를 겪게 하고, 한편으로 자기의 몸을 통해서 외부의 몸이 보다 더 많은 순간 변화를 겪도록 하는 것은 그만큼 이익이 된다. 이와 반대로 인간이 자신의 몸과 외부의 몸이 순간 변화를 보다 덜 느끼게 하면 그만큼 해롭다.

감정의 자기이해 안에서 사랑과 욕망은 감정 그 자체의 본성에 대한 참다운 인식을 향하며, 그 결과 모든 감정의 순수지선 또는 생명과 사랑을 영원무한의 필연성으로 확인합니다. 이 사랑과 욕망은 사실상 신의 자기이해와 동일하기 때문에 절대적으로 선(善)입니다.

제3부 정리 59: 감정의 행복

마음이 능동적으로 활동하는 한에서 여기에 관계되는 모든 감정 가운데 그 어떤 감정도 기쁨과 욕망이 아닌 것으로 존재하지 않는다.

'마음의 능동'은 '감정의 자기이해'입니다. 이 이해로부터 감정은 오직 기쁨과 욕망으로 존재하며, 그렇기 때문에 감정의 욕망은 철저히 감정의 자기이해만을 행복으로 추구합니다. 즉, 이 욕망은 모든 감정을 그 자체에 고유한 본성으로 이해하며, 사실상 모든 감정을 신적 본성의 필연성으로 이해합니다. 감정이 자신을 비롯해서 모든 감정을 신적 본성의 필연성으로 이해한다는 것은 감정을 순수지선으로 확인하는 것이므로 이 이상의 사랑은 없습니다. 따라서 이 사랑과 욕망은 절대적으로 지나칠 수 없습니다.

정리 35: 자기이해의 감정이 누리는 축복

감정이 이성의 지도를 따라서 자기이해로 살아가는 한에서 감정은 필연적으로 세상의 모든 감정과 본성에 관하여 언제나 일치한다.

정리 36: 감정으로 존재하는 신

덕을 추구하는 감정의 최고선은 모든 감정에 공통되며, 모든 감정들이 그것을 즐길 수 있다.

그러나 우리는 자연 안에 존재하는 무한한 감정 가운데 하나입니다.

정리 2: 감정의 수동과 능동

우리는 자연의 한 부분인 한에서 수동적이다. 왜냐하면 자연의 모든 것은 자신과 다른 것에 의해서 파악되는 자연의 일부이기 때문이다.

정리 3: 감정의 유한성

인간이 자기 존재를 지속하는 힘은 제한되어 있으며 외부 원인의 힘에 의하여 무한히 압도된다.

정리 4: 묻고 배우는 감정의 이성

인간이 자연의 일부로 존재하지 않는다는 것은 불가능하며, 그렇기 때문에 자기 몸의 변화를 오직 자기 몸의 본성으로 이해함으로써 그 자신이 타당한 원인으로 존재하는 것도 불가능하다.

이 사실로부터 다음과 같은 결론 또한 필연적입니다. 우리의 감정이 "자연의 일부로 존재"하는 한에서 감정의 유한성에 근거하여 우리는 얼마든지 감정의 자기이해가 아닌 사실상 존재하지 않는 외부 원인을 상상하며 그것에 의해서 자신의 존재가 결정되었다고 잘못 이해할 수 있습니다. 따라서 다음과 같은 결론은 필연적입니다.

정리 34: 전쟁에 빠지는 감정

감정이 자기 존재를 이해함에 있어서 자기이해가 아닌 외부 원인에 의존하는 하는 한에서 이 이해는 수동적인 것이며 그 결과 감정은 서로에게 본성상 일치가 아닌 대립에 놓이게 된다.

제3부 정리 56: 감정의 횡설과 수설

우리는 다양한 종류의 외부 몸(감정)을 다양하게 느끼기 때문에 그에 비례하여 우리는 많은 종류의 기쁨과 슬픔 그리고 욕망을 느낀다. 이 세 가지 감정의 조합으로 모든 감정이 생겨난다. 또한 사랑, 증오, 희망, 두려움 등과 같은 감정으로부터도 모든 감정이 파생된다.

우리는 얼마든지 감정에 대한 인식을 수동적으로 할 수 있으며, 이 인식 안에서 "또한 사랑, 증오, 희망, 두려움 등과 같은 감정으로부터도 모든 감정이 파생된다."는 것을 이해할 수 있습니다. 감정의 자기이해가 아니면 감정은 자신의 행복을 밖에서 구합니다. 이때 이 노력은 크게 두 가지 방향으로 전개됩니다. 외부 원인을 소유하거나, 또는 외부 원인을 파괴하거나. 따라서 사랑과 욕망은 이 목적을 달성하는데 몰입하게 되며, 결과적으로 과도한 지나침으로 흐를 수 있게 됩니다.

그러므로 '정신 착란'에 대한 스피노자의 다음과 같은 진단은 감정과학에 근거하여 분명합니다.

실제로 탐욕, 명예욕, 정욕 등은 비록 병이라고 생각되지 않을지라도 정신 착란 증세의 일종이다.

스피노자 『에티카』, 제4부 정리 44, 주석.
/강영계 번역(p.288.).

감정이 자기이해가 아닌 다른 방식으로 자신의 행복을 구하면, 그 즉시 '행복 결핍증'에 빠지게 되어, 자신이 외부에서 구하는 행복에 몰입하게 됩니다. 그 결과 몰입의 대상에 도달하지 않으면 극심한 우울증과 스트레스를 겪게 됩니다. 감정이 '정신 착란'을 겪게 되는 필연성이 여기에 있습니다.

```
제4부   정리 45: 증오의 자기이해
```
증오는 절대적으로 선(善)이 될 수 없다.

분석

이 정리는 다음의 정리에 근거하여 당연한 것입니다.

제3부 정리 59: 감정의 행복

마음이 능동적으로 활동하는 한에서 여기에 관계되는 모든 감정 가운데 그 어떤 감정도 기쁨과 욕망이 아닌 것으로 존재하지 않는다.

어떤 감정이 생명과 사랑이 아닌 증오의 감정으로 자신을 이해하고 있다면, 그것은 사실상 감정의 자기이해를 결여한 것입니다. 이것은 증오의 감정이 여전히 증오로 자신을 이해거나 심지어 자신의 증오를 보다 더 크게 하는 경우도 포함합니다. 이 이유에서 '증오'는 절대적으로 선이 될 수 없습니다. 물론 증오를 느끼게 될 때에는 그에 고유한 본성의 필연성이 존재합니다. 그러나 증오를 느끼며 사는 것이 당연하다는 것과 증오가 자기이해를 통해서 자신의 순수지선을 확인함으로써 자신의 본질이 생명과 사랑이라는 사실을 이해하고 살아가는 것은 완전히 다른 논점입니다.

그러므로 이 정리는 증오를 느끼는 감정 자체를 악(惡)으로 규정하는 것이 아니라 어떤 감정이든지 자신을 증오로 이해하고 있다면 그 이해가 곧 악(惡)이라고 설명합니다. 앞에서 계속 논의한 바와 같이 감정의 자기이해가 선(善)이며, 이 이해가 아니면 악(惡)입니다. 이에 기초하여 다음과 같은 스피노자의 보충은 감정과학에 근거하여 지극히 당연한 결론입니다.

보충 1 질투, 조롱, 경멸, 분노, 복수나 기타 미움에 연관되거나 미움에서 생기는 정서는 악이다.

보충 2 우리들이 미움에 자극받음으로써 욕구하는 모든 것은 비도덕적이며 또한 국가에서 보면 불의이다.

_스피노자 『에티카』, 제4부 정리 45, 보충 1/ 2.
/강영계 번역(p.288.).

> **제4부   정리 46: 영원무한의 생명과 사랑**
>
> 감정이 자기이해를 추구하는 이성을 따라서 살아갈 때, 감정
> 은 자신이 할 수 있는 한에서 자신에 대한 증오, 분노, 경멸
> 등의 감정을 사랑과 관용으로 품에 안아준다.

분석

감정이 자기이해에 근거하여 자신의 본성과 세상 모든 감정의 본
성을 이해하는 한에서 감정은 최고의 완전성 안에서 영원무한의 생
명과 사랑으로 존재합니다. 자기이해로 살아가는 감정이 자신에 대한
증오, 분노, 경멸 등의 감정에 대해서 증오가 아닌 사랑과 관용으로
품에 안아줄 수 있는 이유입니다. 다시 강조하지만, 이 사랑은 의지
력으로 하는 것이 절대 아닙니다. 감정의 자기이해로부터 필연적인
진리입니다.

제3부 정리 43: 감정의 진실
증오의 감정은 자신을 향한 보복적 증오에 의해서 증대되며, 반대로
자신을 향한 사랑에 의해서 파괴된다.

제3부 정리 44: 감정의 진면목
사랑의 품에 완전히 안긴 증오는 사랑으로 변한다. 그리고 이 사랑
은 이전의 증오 없이 사랑할 때보다 더 강렬하다.

감정의 자기이해에 의하면 증오에 대해서 증오로 대응하는 것은 증오만을 더욱 키울 뿐입니다. 이것은 슬픔이 보다 더 커지는 것이며, 그러한 한에서 악(惡)입니다.

정리 45: 증오의 자기이해
증오는 절대적으로 선(善)이 될 수 없다.

그러나 감정이 자기이해 안에서 자신의 본성 및 자신이 교차하는 모든 감정의 본성을 명석판명하게 이해하는 한에서 감정은 절대적으로 생명과 사랑이며 오직 기쁨의 감정으로 존재합니다.

정리 41: 감정과학의 기쁨
기쁨은 그 자체로 악(惡)이 아니고 선(善)이다. 이와 반대로 슬픔은 그 자체로 악(惡)이다.

스피노자는 다음과 같이 '주석'을 첨가합니다.

자신이 당한 불법을 미움으로 복수하려고 하는 사람은 확실히 비참하게 생활한다. 그런데 이와 반대로 미움을 사랑으로 극복하려고 노력하는 사람은 정말로 기쁘게 확신을 가지고 대항한다. 그는 많은 사람들에 대해서도 한 사람에게 하듯이 의연하게 대항하며 운명의 도움을 거의 필요로 하지 않는다.

_스피노자 『에티카』, 제4부 정리 46, 주석.
/강영계 번역(p.290.).

스피노자의 주석에 대하여 과연 그러한 사람이 어디에 있냐고 질문할 수 있습니다. 이 주석을 증명하는 가장 대표적인 역사적인 선생님은 '보이티우스'입니다. 그는 『철학의 위안』에서 자신이 당한 억울함을 스피노자의 주석과 같은 방식으로 해결합니다. 자신의 억울함을 하소연하는 중에 자기 스스로 자기 감정의 필연성을 이해합니다. 세상을 향해 자신의 증오를 보다 더 크게 하는 것이 아니라 자신의 증오 안에서 자신이 왜 그러한 처지에 놓일 수밖에 없는 이유를 영원무한의 필연성으로 이해합니다. 그 결과 보이티우스는 세상을 사랑으로 안아주며, 영원무한의 생명과 사랑으로 자신의 삶을 마감합니다.

그러므로 감정이 자기이해를 추구하는 이성으로 자신과 세상 모든 감정을 이해하면, 감정은 필연적으로 자신이 할 수 있는 한에서 자신에 대한 증오, 분노, 경멸 등의 감정을 사랑과 관용으로 품에 안아줍니다. 그렇기 때문에 감정의 자기이해가 세상을 사랑과 평화로 가꾸는 방법입니다. 세상을 향해서 사랑과 평화를 외치는 사람이 무엇보다도 지금 자신의 현실적인 감정을 자기이해 안에서 영원무한의 생명과 사랑으로 이해해야 하는 이유입니다. 감정의 진실이 영원무한의 필연성으로 생명과 사랑 안에 존재한다는 사실을 느끼지 못하면, 감정은 전쟁으로 세계 평화를 이루겠다는 허황된 망상에 빠집니다.

> **제4부　정리 47: 필연을 향한 자기이해**
>
> 희망을 느끼거나 두려움을 느끼는 감정은 그 자체로 선(善)일
> 수 없다.

분석

　　감정의 자기이해는 감정으로 하여금 자기 존재의 본성을 영원무
한의 필연성 안에서 영원무한의 생명과 사랑으로 이해하도록 인도합
니다. 이 이해가 감정의 욕망에 고유한 정신이자 덕(德)입니다. 감정
은 오직 자신의 덕에서 나오는 '이성'에 근거하여 자기이해를 정립하
며, 오직 이 이해를 따라서 자신의 생명과 사랑을 영원무한으로 즐
기는 축복을 누립니다. 그렇기 때문에 감정 자신에게 필연을 향한
자기이해가 분명하지 않으면, 그 즉시 감정은 우연과 가능에 예속되
어 희망을 느끼거나 두려움을 느끼며 불안 증세에 시달리게 됩니다.
그러므로 스피노자는 다음과 같이 주석을 첨가합니다.

　　희망과 공포의 정서는 인식의 결핍과 정신의 무능력을 지시한다는 것을
우리는 여기에 첨가할 수 있다. … 그러므로 우리들이 이성의 지도에 따라
생활하기를 애쓰면 애쓸수록 우리들이 희망에 덜 의존하도록, 공포에서 우
리 자신을 해방하도록 그리고 가능한 한 운명을 지배하며 우리들의 행동을
이성의 확실한 지시에 따라서 정리하도록 더욱더 노력한다.

_스피노자 『에티카』, 제4부 정리 47, 주석.
/강영계 번역(p.291.).

감정의 자기이해는 영원무한의 필연성 안에서 과거-현재-미래를 살아가는 것입니다. 따라서 다음과 같은 결론은 필연적입니다. 감정은 최고의 완전성으로 감정으로 살아가는 세상(자연)의 진실을 순수지선으로 믿으며, 이 믿음 안에서 감정은 매순간 새로운 감정을 배움으로써 그것의 순수지선을 이해하고 느낍니다. 그 결과 감정은 자신과 세상을 영원무한의 필연성 안에서 영원무한의 생명과 사랑으로 살아가는 축복을 누리게 됩니다. 감정은 희망과 두려움으로 살아가는 것이 아니라 영원무한의 필연성을 향한 믿음으로 영원무한의 필연성을 배우며 살아갑니다. 이 배움이 감정에게 영원무한의 생명과 사랑으로 살아가는 방법입니다.

과대평가와 멸시의 감정은 언제나 악(惡)이다.

분석

감정이 자기이해를 통해서 자기 존재의 순수지선을 이해하지 못하면, 감정은 자기를 비롯해서 세상 모든 감정을 감각적 현상으로 바라봅니다. 감정에 고유한 본성의 필연성을 생각하지 않게 되며, 결과적으로 배울 생각을 하지 않게 됩니다. 문제는 여기에 그치지 않습니다. 뜻밖에 감정의 감각적 현상만으로 감정의 좋음(선)과 나쁨(악)을 판단합니다. 그렇기 때문에 감정이 자신 또는 다른 감정을 향해서 과대평가나 멸시를 느끼고 있다면, 그것은 감정 스스로 자기이해를 결여하고 있다는 것을 증명합니다. 이러한 맥락에서 과대평가나 멸시를 느끼는 감정은 '악'(惡)입니다. 왜냐하면 감정이 이러한 예속의 상태에 머무는 것에 비례하여 감정은 자기이해를 정립하기 어려운 지경에 처하기 때문입니다. 아래의 「정의」를 확인하세요.

정의 2: 악(惡)

악(惡)에 관하여 나는 우리가 어떤 선(善)한 것을 소유함에 있어서 방해되는 것이 무엇인지 우리가 확실하게 아는 것으로 이해한다.

감정이 과대평가로 자신을 인식하면 그만큼 감정은 자만하기 쉽다.

분석

감정은 자기이해에 근거하여 자신의 순수지선을 영원무한의 필연성으로 이해합니다. 이것은 절대적으로 감정이 자신을 과대평가하는 것이 아닙니다. 감정 스스로 자기 존재의 진실을 명백하게 이해하는 것입니다. 그러나 감정이 자기이해가 아닌 자신의 감각적 현상에 의존하여 자신의 좋음(선)이나 훌륭함을 판단하거나 해석하면, 그 즉시 감정은 자신에 대한 과대평가에 빠지게 됩니다. 이 망상으로 인해 감정은 자기이해에 기초하여 자명하게 확인하는 자기 존재의 진실로서 순수지선, 즉 영원무한의 생명과 사랑을 알 수 없게 됩니다. 따라서 자만심에 예속된 감정은 악(惡)입니다.

> 감정의 자기이해를 추구하는 이성으로 살아가는 감정에게 어떤 감정을 불쌍한 것으로 느끼는 연민의 감정은 그 자체로 악(惡)이며 아무 쓸모가 없는 것이다.

분석

몸은 그 자체의 생김이 영원무한의 필연성 안에서 영원무한의 생명과 사랑입니다. 우리가 자연 안에 무한한 방식으로 무한하게 생겨나는 몸에 나아가 그에 고유한 본성의 필연성을 영원무한으로 명백하게 이해하면, 우리는 그 모든 몸을 최고의 완전성 안에서 순수지선으로 이해합니다. 이때 중요한 것은 몸-생김을 인과의 필연성으로 이해하는 것입니다. 이 이해가 영원무한의 생명과 사랑입니다. 왜냐하면 우리는 인과의 영원한 필연성에 근거하여 그 어떤 몸에 대해서도 지금 존재하는 방식과 다른 방식으로 존재하기를 욕망하지 않기 때문입니다. 감정과학은 이 주제를 '선험-분석'으로 설명했습니다.

그런데 지금 이 순간 우리는 감정으로 존재합니다. 우리가 만나는 몸도 사실상 감정으로 존재합니다. 몸으로 생겨난 것은 그와 동시에 순간 변화를 무한하게 합니다. 그러나 선험-분석에 근거하여 우리는 몸-생김에 고유한 본성을 영원무한의 필연성으로 이해하기 때문에 이 이해에 근거하여 우리는 몸-놀이에 고유한 본성도 영원무한의 필연성으로 이해합니다. 감정으로 존재하는 나는 내 감정에 나아가 그에 고유한 본성을 필연성으로 믿고 배우며, 같은 방식으로 세상 모든 감정을 믿고 배웁니다. 그 결과 몸의 순간 변화로서 모든 감정을 영원무한의 필연성 안에서 최고의 순수지선으로 이해합니다.

이 이해가 감정의 자기이해 안에서 분명하다면, 감정은 그 어떤 이유에서도 자기 몸의 순간 변화 및 세상 모든 몸의 순간 변화를 불쌍하거나 비참한 것으로 생각하지 않습니다. 무한한 방식으로 무한한 순간 변화는 단 하나의 예외 없이 절대적으로 영원무한의 필연성 안에서 최고의 완전성 또는 순수지선으로 존재하도록 결정되어 있습니다. 이 사실이 분명하기 때문에 감정의 자기이해로 살아가는 감정은 그 어떤 감정에 대해서도 연민을 느끼지 않습니다. 더 나아가 그런 감정을 아무 쓸모없는 것으로 이해합니다. 왜냐하면 그런 감정은 감정의 자기이해에서 나오는 것이 아니라 감정의 감각적 현상에 의존한 불완전한 의견이나 해석에 불과하기 때문입니다.

그러므로 스피노자가 이 정리에 대해서 다음과 같이 주석을 첨가하는 것은 감정과학에 근거하여 지극히 당연한 것입니다.

모든 것이 신의 본성에서 생기며, 자연의 영원한 법칙과 규칙에 따라 행해짐을 완전히 이해하는 사람은 사실 미움이나 웃음 또는 경멸에 해당할 만한 아무것도 찾지 못할 것이며 어떤 사람도 연민의 대상으로 여기지 않을 것이다. 오히려 그는 인간의 덕이 할 수 있는 한에서 옳게 행동하고 또한 사람들이 말하는 것처럼 스스로 즐기려고 노력할 것이다.

_스피노자 『에티카』, 제4부 정리 50, 주석.
/강영계 번역(p.292.).

참고로 위의 주석과 함께 「서문」을 간단히 검토하겠습니다.

서문: 감정의 참다운 인식

그들은 자연의 '어떤 것'을 볼 때, 그것이 자신의 '고정관념'과 일치하지 않는다고 판단하면, 그 즉시 그들은 자연이 실패했거나 실수를 저질렀다고 생각한다. 자연이 그것을 불완전하게 만들었다고 믿는다. 이로써 우리는 사람들이 자연에 대한 참다운 인식 보다는 자신의 편견에 의존하여 자연의 모든 것을 완전 또는 불완전으로 판단한다는 것을 알 수 있다. … 그러므로 완전과 불완전은 실질적으로 생각의 양태일 뿐이다. 동일한 종류에 속하는 개체들을 서로 비교함으로써 습관적으로 형성하는 개념에 불과하다.

서문: 감정의 필연성

그 어떤 것도 자기 존재를 실질적으로 결정하는 자기 본성의 필연성 이외 다른 것을 자신의 본성으로 갖지 않는다. 모든 것은 자기 존재의 필연성으로부터 필연적으로 존재하도록 결정되어 있다.

감정이 모든 감정을 자기이해 안에서 이해하고, 더 나아가 모든 감정을 자기이해의 축복으로 인도하는 것, 이것이 진실로 감정이 자신을 사랑하는 것이며 동시에 자연의 모든 감정을 사랑하는 것입니다. 감정은 자기이해 안에서 그 어떤 감정도 불쌍히 여기지 않습니다. 모든 감정을 영원무한의 생명과 사랑 안에서 최고의 완전성 또는 순수지선으로 사랑합니다. 이 사랑이 모든 감정을 영원무한의 생명과 사랑으로 가꾸어갑니다.

모든 감정을 존재 그 자체로 긍정하는 호의는 자기이해를 추구하는 감정의 이성에 반대되지 않는다. 오히려 호의는 이성과 일치하며 이성에서 나온다.

분석

이 정리는 감정의 자기이해로부터 필연적입니다. 감정이 자기이해를 통해서 자기 존재에 고유한 본성으로서 영원무한의 생명과 사랑을 영원무한의 필연성으로 이해하면, 감정은 자신을 비롯해서 자연의 모든 감정을 생명과 사랑 안에서 존재 그 자체로 긍정합니다. 매 순간 새로운 감정이 자기 진실로서 순수지선을 이해하면, 이 이해 안에서 자신의 순수지선을 느끼는 감정은 자신과 교차하는 모든 감정을 감각적 현상이 아닌 그 자체에 고유한 본성의 필연성으로 배워서 이해합니다. 이 이해에 근거하여 다 좋은 감정을 확인합니다. 따라서 '호의'는 엄격히 말해서 '베푸는 행동'이 아니라 '타당한 인식'입니다.

> **제4부   정리 52: 감정의 자기만족**
>
> 감정의 자기만족은 자기이해를 추구하는 감정의 이성에서 나오며, 오직 이것만이 최고의 만족으로 존재한다.

분석

감정은 자기이해를 통해서 자기 존재의 진실이 영원으로부터 영원에 이르는 영원의 필연성 안에서 순수지선으로 결정되어 있다는 사실을 이해합니다. 이 이해를 근거로 '감정의 자기이해'는 실질적으로 '신의 자기이해'라는 사실이 증명됩니다. 우리가 영원의 필연성으로 존재하는 것을 '신'으로 이해하는 한에서 영원을 이해하는 것은 오직 영원으로 존재하는 영원 자신이기 때문에, 현실적으로 존재하는 감정이 자기 존재의 진실을 영원의 필연성 안에서 최고의 완전성 또는 순수지선으로 이해하는 '감정'의 자기이해는 사실상 '신'이 자신을 이해하는 신의 자기이해입니다.

지금 현실적으로 존재하는 감정이 자기 존재의 진실을 이해함에 있어서 감각적 현상이 아닌 존재 그 자체의 진실로서 순수지선으로 이해하면, 감정은 마침내 최고의 행복이 자기 안에 본래부터 존재한다는 사실을 깨닫습니다. 자신의 존재 자체가 영원무한의 필연성으로 최고의 완전성 안에서 최고의 행복이라는 사실을 이해합니다. 최고선 그 자체인 신의 존재가 지금 현실적으로 느끼는 나의 감정을 떠나서 별도로 존재하지 않습니다. 이러한 방식으로 감정이 자신을 이해하는 한에서 감정은 자기 존재 그 자체만으로 최고의 행복을 누립니다. 이러한 자기만족은 오직 감정의 자기이해를 통해서 느낄 수 있습니다.

그러므로 우리는 스피노자의 주석을 통해서 이 정리에 대한 감정 과학의 분석을 확인할 수 있습니다.

실제로 자기만족은 우리들이 바랄 수 있는 최고의 것이다. 왜냐하면 아무도 자신의 유(有)를 다른 목적을 위해서 보존하려고 하지 않기 때문이다.

_스피노자 『에티카』, 제4부 정리 52, 주석.

/강영계 번역(p.294.).

참고로 '자신의 유(有)'는 현실적으로 존재하는 감정을 뜻합니다. 현실적으로 존재하는 감정이 다른 목적 없이 자신을 보존한다는 것은 자기 보존을 존재 그 자체로 한다는 것을 뜻합니다. 스피노자는 이것을 감정의 자기만족 또는 자기보존으로 이해합니다. 오직 이 이해를 통해서 감정은 자기 존재의 진실을 영원무한의 필연성 안에서 영원무한의 생명과 사랑으로 이해합니다. 쉽게 말해서 현실적으로 존재하는 감정이 자기 존재의 진실을 신적 본성의 필연성으로 이해하는 것 이상으로 자기를 완전하게 만족하거나 보존할 수 없습니다. 감정의 자기이해는 실질적으로 신의 자기이해와 동일하기 때문에 이 결론은 진리의 필연성으로 존재합니다.

제4부　정리 53: 자기답게 사는 감정

겸손은 덕이 아니다. 즉, 그것은 자기이해를 추구하는 감정의 이성에서 나오지 않는다.

분석

감정은 자기이해로 살아가기를 욕망합니다. 자기이해가 아니면 감정은 자기 존재의 진실인 순수지선을 이해할 수 없습니다. 그 결과 감정은 순수지선 안에 존재하고 있음에도 불구하고 자기 밖에서 순수지선을 구하는 절망에 빠지게 됩니다. 이 이유로 감정은 자기이해가 아닌 다른 방식으로 살아가기를 욕망하지 않습니다. 무한히 새로운 감정에 나아가 그 자체에 고유한 본성을 영원무한의 필연성으로 배우며 매순간을 최고의 완전성 안에서 순수지선으로 살아갑니다. 그러므로 감정은 자신을 낮추는 겸손함으로 살아가지 않으며, 다른 한편으로 자신을 높이는 과대평가로도 살아가지도 않습니다.

> 후회의 감정으로 살아가는 것은 덕(德)이 아니다. 즉, 그것은
> 자기이해를 추구하는 감정의 이성에서 나오지 않는다. 특히
> 자신의 행동을 후회하는 감정은 후회의 감정 보다 두 배로
> 불행하며 무능력하다.

분석

감정이 자신에 대해 후회를 느끼거나 자신이 한 행동에 대해서 후회를 느낀다는 것은 감정 스스로 자신의 존재 또는 자신이 한 행동을 우연으로 이해하기 때문에 발생합니다. 일례로 지금의 감정이 자신의 과거에 대해서 '그때에 그렇게 느끼면 안 되었는데.'라고 느끼는 것이 후회입니다. 또는 감정이 자신이 한 행동을 돌이키면서 '그때 그렇게 하면 안 되는 것인데.'라고 느끼는 것이 후회입니다. 과거의 감정이 그때와 다른 방식으로 존재할 수 있다는 생각, 그리고 어떤 행동에 따른 결과를 두고 다른 방식의 결과가 발생할 수 있다는 생각, 이런 생각은 모두 '우연'을 전제합니다.

그러나 모든 감정은 과거-현재-미래에 상관없이 존재 그 자체로 영원무한의 필연성을 자기 본성으로 본래부터 가지고 있습니다. 그 어떤 감정도 우연으로 존재할 수 없으며, 지금 존재하는 방식과 다르게 존재할 수 없습니다. 감정이 한 행동도 같은 이치입니다. 어떤

감정을 느끼고 그에 따라서 어떤 행동을 결정하고, 마침내 그것을 실행에 옮김으로써 그에 따라서 어떤 결과가 산출되면, 그것도 영원 무한의 필연성을 본성으로 본래부터 가지고 있습니다. 이 이해를 확인하는 것이 감정의 자기이해입니다. 따라서 감정이 자신이나 자신이 한 행동에 대해서 후회한다면, 그것은 감정에 대한 타당한 인식이 아닙니다.

아래의 정리에 근거하여 후회는 감정의 자기이해에서 나오지 않는다는 사실을 분명하게 확인할 수 있습니다.

제2부 정리 36: 마음을 탓하지 않기
타당하지 않으며 혼란스러운 개념은 타당하고 명석 판명한 개념과 마찬가지로 필연성을 따라서 생겨난다.

그러나 '후회'와 달리 '뉘우침'(회개)이라는 것도 있습니다. 뉘우침은 후회와 완전히 다릅니다. 후회는 감정의 자기이해가 아니지만, 뉘우침은 철저히 감정의 자기이해입니다. 감정이 자신에 대해서 뉘우친다거나 자신이 한 행동을 뉘우칠 수 있는 이유는 감정 스스로 영원무한의 필연성을 인식했기 때문입니다. 그렇기 때문에 뉘우친다는 것은 감정의 존재 또는 감정이 한 행동 및 그에 따른 결과를 부정하는 것이 아닙니다. 모든 것은 영원무한의 필연성 안에서 존재하고 생겨나도록 결정되어 있습니다. 인식의 오류에 의해서 그에 따른 감정을 느끼며 더 나아가 그에 따른 행동을 합니다. 반대로 인식의 올바름에 의해서 그에 따른 감정을 느끼며 더 나아가 그에 따른 행동을 합니다.

제3부 정리 58: 참된 기쁨과 욕망

수동적인 감정으로서 기쁨과 욕망 이외, 우리가 능동적으로 활동하는 한에서 우리 자신에게 관계하는 기쁨과 욕망의 감정도 존재한다.

제3부 정리 59: 감정의 행복

마음이 능동적으로 활동하는 한에서 여기에 관계되는 모든 감정 가운데 그 어떤 감정도 기쁨과 욕망이 아닌 것으로 존재하지 않는다.

감정이 자기이해로 존재하며 살아가는 한에서 감정은 기쁨으로 존재하며, 이 기쁨으로부터 오직 감정의 자기이해만을 행복으로 욕망합니다. 반대로 감정이 자기이해를 결여하는 한에서 감정은 슬픔으로 존재하며, 이 슬픔으로부터 보다 더 큰 슬픔을 행복으로 착각하며 욕망합니다. 이러한 필연성을 이해하는 감정은 후회하며 사는 것이 아니라 철저히 뉘우치며 살아갑니다. 왜냐하면 인식의 오류부터 필연적으로 슬픔만을 느끼게 되며, 반대로 인식의 올바름으로부터 필연적으로 기쁨만을 느낀다는 것을 이해하기 때문입니다. 따라서 감정은 자신의 잘못을 후회하거나 비난하기 보다는 자신의 잘못에 나아가 진리의 필연성을 인식하며 그것으로 기쁨을 느낍니다. 이 기쁨이 뉘우침입니다.

그러므로 감정의 자기이해 안에서 그 어떤 감정도 비난 받지 않으며 그 어떤 행동도 비난 받지 않습니다. 그러나 그렇다고 해서 모든 감정과 모든 행동들이 당연시되는 것은 아닙니다. 여기에는 시비(是非)의 판단이 매우 엄정합니다. 감정의 자기이해로부터 서로 뉘우치며 서로 배웁니다. 이것이 시비(是非)의 시(是)입니다. 진리의 필연성입니다. 반대로 감정의 자기이해가 아니면 각자 후회하거나 서로를 비방합니다. 이것이 시비(是非)의 비(非)입니다. 그렇기 때문에 시비(是非)의 시(是)를 분명히 이해하면, 비(非)는 본래 없다는 것을 이해합니다. 따라서 후회가 우연에 자신을 가두는 예속이라면, 뉘우침은 필연을 인식하는 자유입니다.

극단적으로 오만함을 느끼는 감정이나 극단적으로 자기를 비하하는 감정은 감정 자신에 대한 극단적인 무지(無知)이다.

분석

모든 감정은 자기 존재에 관하여 영원무한의 필연성으로 존재하도록 결정되었으며, 그러한 한에서 모든 감정은 자신만의 현실적인 존재로 신의 존재를 증명하는 성스러운 감정입니다. 아래의 정리를 참고하세요.

정리 28: 감정의 신 인식

감정의 마음에게 최고의 선(善)은 신에 대한 이해이며, 감정의 마음에게 최고의 덕은 신을 이해하는 것이다.

극단적으로 오만함을 느끼는 감정이나 극단적으로 자기를 비하하는 감정은 자기 정신의 극단적인 무능력을 나타낸다.

분석

이 정리는 바로 앞의 정리에 근거하여 당연한 것입니다. 정신의 무능력은 의지력의 부재가 아니라 감정이 자기 존재의 진실을 이해하지 않고 살아가는 것입니다. 감정이 자기의 진실을 배우지 않음으로써 자기 존재의 순수지선 또는 영원무한의 생명과 사랑을 알지 못하면, 감정은 그 즉시 자신을 감각적 현상으로 바라봅니다. 그 결과 감정은 자신을 선악(善惡)으로 해석하며 분열시킵니다. 이 분열이 극단에 이르면 극단적인 자기 오만 아니면 극단적인 자기 비하로 흘러갑니다. '내가 제일 잘 나가!', 아니면 '나는 아무 쓸모없는 잉여인간!' 같은 표현이 가장 대표적인 예시입니다. 본래부터 영원의 필연성으로 순수지선으로 존재하는 감정입니다. 그러므로 감정이 극단적인 자기 오만으로 살아가거나 반대로 극단적인 자기 비하로 살아간다면, 이것 이상의 감정의 극단적인 무능력은 없습니다.

┌───┐
│ ═══ **제4부   정리 57: 고결한 정신** ═══ │
│   │
│ 오만한 감정으로 살아가는 사람은 자신에게 기생하거나 아첨 │
│ 하는 무리들을 사랑하지만, 고결한 정신으로 살아가는 사람들 │
│ 을 증오한다.   │
└───┘

■ 분석

　오만한 감정에 예속된 사람은 세상 모든 감정의 순수지선을 알지 못하며 오직 자기의 감정만이 소중하고 좋은 것이라고 착각하는 사람입니다. 이러한 착각에 비례하여 오만한 인간은 자기의 감정만을 찬양하며 추종하는 무리들을 사랑합니다. 반면에 고결한 정신으로 살아가는 사람은 세상 모든 감정에 나아가 그에 고유한 본성의 필연성으로서 영원무한의 필연성 또는 순수지선을 이해합니다. 이 이해로부터 고결한 정신으로 살아가는 사람은 영원무한의 생명과 사랑으로 살아갑니다. 그러한 한에서 고결한 정신의 소유자는 오만한 감정에 예속된 사람에게 기생하지 않으며 아첨하지도 않습니다. 그러므로 오만한 감정에 예속되어 살아가는 사람이 자신에게 기생하거나 아첨하는 무리들을 사랑하는 것과 반대로 고결한 정신으로 살아가는 사람들을 증오하는 것은 '필연적'입니다.

　　서문: 순수지선으로 존재하는 감정

그러므로 증오, 분노, 질투 등의 감정은 그 자체로 볼 때 이러한 자연의 필연성과 힘에 따라서 발생한다. 이러한 감정들은 자기 존재에 고유한 특정하고 명확한 원인으로 생겨나며, 그러한 한에서 그 각각의 원인으로 이해되어야 한다. 따라서 감정은 자연의 모든 것과 마찬가지로 우리가 반드시 알아야 하는 본성의 필연성으로 존재한다. 그렇기 때문에 이러한 본성을 사색하는 것만으로 우리는 기쁨을 누리게 된다.

위의 서문에 근거하여 다음과 같은 결론은 필연적입니다. 감정에 대한 자기이해가 아닌 예속된 사람은 자신이 무슨 이유로 고결한 정신의 소유자를 증오하지는 이해하지 못하지만, 감정의 자기이해로 살아가는 고결한 정신의 소유자는 오만한 사람이 자신에 대해서 증오를 느끼는 필연성을 이해합니다. 따라서 감정에 예속된 정신이 증오로 살아가는 반면에 감정의 자기이해를 형성하는 고결한 정신은 영원무한의 생명과 사랑으로 살아갑니다. 이 사실은 다음과 같이 증명됩니다.

정리 45: 증오의 자기이해
증오는 절대적으로 선(善)이 될 수 없다.

정리 46: 영원무한의 생명과 사랑
감정이 자기이해를 추구하는 이성을 따라서 살아갈 때, 감정은 자신이 할 수 있는 한에서 자신에 대한 증오, 분노, 경멸 등의 감정을 사랑과 관용으로 품에 안아준다.

끝으로 이 정리에 대한 스피노자의 주석을 살펴볼 필요가 있습니다. 스피노자는 다음과 같이 말합니다.

제3부의 머리말에서 말한 것처럼, 나는 인간의 정서와 그 특징을 다른 자연물과 마찬가지로 고찰한다.

_스피노자 『에티카』, 제4부 정리 17, 주석.
/강영계 번역(p.260.).

스피노자는 감정을 '자연물'로 이해합니다. 이것은 지극히 당연한 것입니다. 왜냐하면 감정은 엄격히 말해서 '몸의 순간 변화'이기 때문입니다. 감정은 관념이나 개념으로 존재하는 추상적인 것이 절대 아닙니다. 몸의 순간 변화가 감정이기 때문에 실질적으로 감정은 몸이 자신의 순간 변화를 통해서 새로운 변화 상태로 존재하는 것입니다. 이 사실에 근거하면 감정은 '자연물'입니다. 그럼에도 불구하고 우리가 이것을 개념으로 부르는 이유는 몸의 순간 변화와 동시에 마음은 자기원인으로 자기 몸의 순간 변화에 대한 개념을 형성하고 그것으로 존재하기 때문입니다. 감정을 몸으로 이해하면 몸의 순간 변화이고, 마음으로 이해하면 몸의 순간 변화에 대한 개념입니다.

이 주제와 관련하여 간단히 참고할 것은 유교철학의 기본 문서 가운데 하나인 『대학』입니다. 이 문서의 핵심은 격물치지(格物致知)입니다. 여기에서 우리는 스피노자의 주석에 근거하여 격물(格物)의 '물'(物)을 '감정'으로 이해할 수 있습니다. 따라서 '격물치지'를 '감정에 대한 타당한 인식'으로 정의할 수 있습니다. 자세한 것은 『유교문화의 학문, 대학의 감정과학』을 확인하세요.

명예는 자기이해를 추구하는 감정의 이성에 반대되지 않으며 오히려 그것으로부터 생겨난다.

분석

　감정의 자기이해로 살아가는 고결한 정신은 자기이해 안에서 자명한 영원무한의 필연성만을 배우며 그것으로 살아갑니다. 고결한 정신은 이 배움을 통해서 최상의 자기만족과 자유를 느낍니다. 그렇기 때문에 감정의 자기이해로 살아가는 성스러운 사람은 자기 삶을 방해하는 모든 것 앞에서 의연하게 대처하며 그 어떤 이유로도 자신의 정조를 잃지 않습니다. 자신의 순수지선을 절대 떠나지 않으며, 모든 것을 영원무한의 생명과 사랑으로 용서합니다. 원수를 사랑한다는 것은 의무가 아니라 자기 본성의 필연성인 생명과 사랑을 따르는 자유인의 삶입니다. 이 삶이 명예로운 삶입니다. 그러므로 고결한 정신의 소유자가 최상의 자기만족을 지켜나가는 삶 속에서 자신의 명예를 느끼는 것은 영원의 필연성으로 당연한 것입니다.

> 감정으로 하는 우리의 모든 행동은 감정의 자기이해를 결여
> 한 감정의 수동적 인식에 의해서 결정되지만, 그러한 인식 없
> 이도 얼마든지 우리는 감정의 자기이해를 추구하는 이성에
> 의해서 우리의 행동이 결정되도록 할 수 있다.

분석

욕망은 감정을 떠나서 존재하는 것이 아닙니다. 현실적으로 존재
하는 감정은 지금 자신의 존재를 유지하고 행복으로 인도하기 위해
서 어떤 행동을 결정하고 실행합니다. 이것이 감정의 욕망입니다. 욕
망에 대한 정의에 입각하여 아래의 정리를 보겠습니다.

정리 2: 감정의 수동과 능동

우리는 자연의 한 부분인 한에서 수동적이다. 왜냐하면 자연의 모든
것은 자신과 다른 것에 의해서 파악되는 자연의 일부이기 때문이다.

현실적으로 존재하는 감정(나)은 자연 안에 존재하는 무한한 감정
가운데 하나입니다. 이것을 '양태'라고 정의합니다. 그렇기 때문에 지
금 나의 감정은 자연의 한 부분이며, 그러한 한에서 '수동적'입니다.
이러한 맥락에서 보면, 감정이 수동으로 자신을 이해하는 것은 지극

히 자연스러운 것입니다. 이것이 뜻하는 바가 무엇인지 제대로 이해하기 위하여 다음의 정리를 보겠습니다.

정리 4: 묻고 배우는 감정의 이성

인간이 자연의 일부로 존재하지 않는다는 것은 불가능하며, 그렇기 때문에 자기 몸의 변화를 오직 자기 몸의 본성으로 이해함으로써 그 자신이 타당한 원인으로 존재하는 것도 불가능하다.

쉽게 말해서 감정을 느끼며 감정으로 살아가는 우리가 공간과 시간의 지속성 안에서 감정에 대한 타당한 인식을 형성하는 것은 불가능하다는 것입니다. 감정으로 살아가는 우리의 매순간을 감정의 자기이해로 살아가는 것은 불가능하다는 뜻입니다.

그러나 우리는 이것을 근거로 자포자기에 빠져서는 안 됩니다. 몸의 순간 변화로 존재하는 감정은 그 자체의 본성이 자기원인입니다. 몸은 절대적으로 자기 본성의 필연성만을 따라서 변화합니다. 즉, 몸은 영원무한의 필연성 안에서 변화합니다. 그런데 문제는 마음에 있습니다. 마음은 몸의 순간 변화에 대해서 개념을 형성함으로써 감정으로 존재합니다. 이때 감정(마음)이 자신(몸의 순간 변화)을 이해할 때, 자기원인이 아닌 외부 원인에 의해서 결정되었다고 이해하면, 그 즉시 몸은 슬픔으로 순간 변화합니다. 왜냐하면 자기원인으로 존재하는 것이 자기를 이해할 때 자기원인이 아니면, 그 즉시 자기원인은 자기 본래의 자유와 능력이 부정되는 변화를 겪기 때문입니다.

마음(감정)이 자신(몸의 순간 변화)을 이해한 결과가 감정(마음의 이해에 대한 몸의 순간 변화)의 슬픔이라면, 당연히 마음은 이 감정에 대한 개념

을 형성합니다. 그 즉시 마음(감정)은 자신(몸의 순간 변화)에 대한 이전의 이해가 과연 타당한 것인지 검토하게 됩니다. 왜냐하면 감정(마음)이 자기를 이해한 결과가 '슬픔'의 감정이라면, 이 이해는 감정(마음)에게 '악'(惡)이기 때문입니다. 반대로 마음(감정)이 자신(몸의 순간 변화)을 본성의 필연성으로 인식하면, 이 인식은 그 자체로 능동이며 활동의 능력이기 때문에, 이 이해로부터 몸의 순간 변화는 '기쁨'으로 드러납니다. 그 즉시 마음은 그에 대한 개념을 형성함으로써 기쁨으로 존재하며, 자신의 이해를 믿고 즐깁니다.

감정(마음)이 자신(몸의 순간 변화)을 자기원인의 능동성으로 이해하면, 이 이해는 타당한 것이라서 '기쁨'이며 그것이 곧 '선'(善)입니다. 반대로 감정(마음)이 자신(몸의 순간 변화)을 외부 원인에 의존하는 수동성으로 이해하면, 이 이해는 타당하지 못한 것이라서 '슬픔'이며 그것이 곧 '악'(惡)입니다. 이 지점에서 우리에게는 절대적으로 자포자기의 절망에 빠질 이유가 전혀 없다는 것을 깨닫습니다. 더 나아가 우리는 우리 스스로를 구원할 수 있습니다. 우리는 자연의 일부로 존재하는 감정이기 때문에 얼마든지 감정에 대한 수동적 인식으로 수동적인 행동을 할 수 있지만, 다른 한편으로 우리는 얼마든지 그에 대해서 슬픔의 감정을 느끼기 때문에 감정에 대한 수동적 인식으로 수동적인 행동을 욕망하는 것을 악(惡)으로 판단합니다.

정리 8: 선악(善惡)

선(善)과 악(惡)에 대한 인식은 우리가 그것을 의식하는 한에서 기쁨 또는 슬픔의 감정에 지나지 않는다.

감정의 자기이해는 필연적으로 기쁨이며 선(善)이지만, 반대로 감정이 자기이해를 결여하면 필연적으로 슬픔이며 악(惡)입니다. 그 이유는 앞에서 충분히 논의한 바와 같이 몸의 순간 변화에 고유한 자기원인의 능동성을 확인하는 유일한 방법이 감정의 자기이해이기 때문입니다. 감정(몸의 순간 변화)에 대한 자기이해(마음이 자기 몸의 순간 변화를 자체의 본성의 필연성으로 자명하게 이해하는 것)는 감정(몸=마음)의 활동능력을 능동성과 완전성으로 확인하기 때문에 그 결과는 필연적으로 기쁨이며, 이와 반대되는 경우로서 감정에 대한 수동적 인식은 필연적으로 슬픔입니다. 이 감정에 근거하여 다음과 같은 결론은 필연적입니다.

제3부 정리 53: 감정의 기쁨
마음(감정)은 자기 자신과 자신의 활동 능력을 생각할 때, 기쁨을 느낀다. 그리고 마음(감정)이 자신과 자신의 활동 능력을 보다 더 명백하게 느끼면 느낄수록 보다 더 큰 기쁨을 느낀다.

제3부 정리 54: 감정의 자기이해
마음(감정)은 자신의 활동 능력을 긍정하는 것만을 생각하고자 노력한다.

감정(몸의 순간 변화에 대한 개념으로 존재하는 마음)이 자기(몸의 순간 변화)를 감각적 현상에 의존함으로써 자기 존재가 자기 아닌 다른 것에 의하여 결정되었다는 인식은 감정 스스로 자신의 활동 능력을 감소시키는 슬픔입니다. 반면, 감정(몸의 순간 변화에 대한 개념으로 존재하는 마음)이 자기(몸의 순간 변화)를 본성의 필연성으로 이해하는 것은 감정 스스로 자신의 활동 능력을 증대시키는 기쁨입니다. 바로 이 지점에서 "마음(감정)은 자신의 활동 능력을 긍정하는 것만을 생각하고자 노력한다."는 것은 감정의 욕망에 근거하여 영원의 진리입니다. 우리가 논의의 시작을 욕망에 대한 정의로 시작한 이유가 여기에 있습니다. 욕망의 진실에 근거하여 우리는 우리 스스로를 구원하는 것이 당연합니다.

물론, 계속해서 확인하고 있는 바와 같이, 우리는 엄연히 자연의 일부로 존재합니다. 얼마든지 감정의 자기이해가 아닌 수동적 인식으로 살아갈 수 있습니다. 감정의 자기이해를 행복으로 추구하는 욕망은 감정에 대한 인식의 오류인 수동적 인식에 의해서 억제될 수 있습니다.

정리 15: 욕망의 자기이해
선악(善惡)에 대한 참다운 인식에서 나오는 욕망은 선악에 대한 명백한 인식을 결여한 수많은 감정들의 욕망들에 의해서 억눌리거나 억제될 수 있다.

그러나 그에 따른 결과는 영원의 필연성으로 슬픔 또는 악(惡)입니다. 이 사실에 기초하여 오직 기쁨과 선(善) 그리고 행복만을 추구하는 욕망의 이성은 매순간 감정의 자기이해를 정립하며 살아가기를 욕망합니다. 이 노력이 이성적 욕망의 '덕'(德)이며, 감정의 욕망을 고결한 정신으로 칭송하는 이유입니다.

정리 23: 감정의 지행일치
우리가 감정에 대한 타당하지 못한 개념(이해)으로 행동하는 한에서,

오직 이 사실만으로 그리고 다른 것은 전혀 고려할 필요 없이, 우리는 덕으로 행동한다고 말할 수 없다. 그러나 우리가 감정의 자기이해로 살아가는 한에서 우리는 덕으로 살아간다고 말할 수 있다.

이성적 욕망의 '덕'(德)에 근거하여 감정이 자기이해를 욕망으로 추구하며 그에 따른 노력을 기울이면, 그에 비례하여 감정은 자신의 활동 능력을 신의 본성 안에서 즐기게 됩니다. 처음에는 이러한 노력이 매우 힘들지만, 이 고통은 엄격히 말해서 영원무한의 생명과 사랑 안에서 다시 이 진실을 배워서 이해하는 학문의 축복입니다. 왜냐하면 다음의 정리에 기초한 고통이기 때문입니다.

정리 28: 감정의 신 인식
감정의 마음에게 최고의 선(善)은 신에 대한 이해이며, 감정의 마음에게 최고의 덕은 신을 이해하는 것이다.

감정이 자기이해를 통해서 자기 본성의 필연성을 명백하게 이해하는 것은 사실상 감정이 자기 정신에 고유한 본성을 따른 결과입니다.

제1부 정리 30: 감정의 자기이해
지성(intellect)은 유한한 것이든 무한한 것이든 근본적으로 신의 속성과 그것의 변화로서 양태를 이해해야 하며, 그 외의 것은 이해하지 않는다.

제2부 정리 47: 내 마음의 진실

인간의 마음은 신의 영원하며 무한한 본질에 대한 타당한 인식을 가지고 있다.

우리의 몸은 신의 몸 안에서 존재하도록 결정된 것이며, 우리의 마음은 신의 마음 안에서 존재하도록 결정된 것입니다. 그렇기 때문에 우리 몸의 본성은 신의 몸이며 우리 마음의 본성은 신의 마음입니다. 이 진실을 이해하는 것이 인간 마음에 고유한 본래의 능력입니다. 이 사실로부터 몸의 순간 변화에 대한 개념을 형성함으로써 감정으로 존재하는 우리의 마음이 신의 몸에 고유한 자기원인의 본성에 근거하여 우리 몸의 순간 변화를 영원무한의 필연성으로 인식하는 것은 지극히 당연하고 자연스러운 것입니다. 이 사실은 감정이 자신에 대한 타당하지 못한 인식을 형성할 때, 그 즉시 감정 스스로 슬픔을 느낀다는 것으로 증명됩니다. 그 반대의 경우도 마찬가지입니다.

그러므로 스피노자의 다음과 같은 증명은 감정과학에 근거하여 진리의 필연성입니다.

만일 기쁨을 느끼는 인간이 자기와 자기의 활동을 타당하게 파악할 정도로 완전성에 도달했다면, 그는 지금 수동인 정서에 의해서 결정되는 바와 똑같은 활동을 할 수 있으며 한층 더 많이 행할 수 있다. 그런데 모든 정서들은 기쁨, 슬픔 또는 욕망으로 환원되며, 또한 욕망은 활동하려고 하는 노력 자체일 뿐이다. 그러므로 우리들은 수동적인 정서에 의해서 모든 활동을 행하도록 결정되는데, 이 정서 없이 오직 이성에 의해서만 이끌 수 있다.

_스피노자 『에티카』, 제4부 정리 59, 증명.

/강영계 번역(p.301.).

"우리들은 수동적인 정서에 의해서 모든 활동을 행하도록 결정되는데, 이 정서 없이 오직 이성에 의해서만 이끌 수 있다."는 것은 무한한 방식으로 무한한 감정을 그 자체에 고유한 본성인 영원무한의 필연성으로 이해함으로써 모든 감정의 순수지선을 이해하는 것입니다. 이 이해로부터 감정은 영원무한의 생명과 사랑으로 존재하며 살아간다는 자기 진리의 필연성을 명백하게 이해하기 때문에 최고의 완전성 안에서 최고의 축복을 누리게 됩니다.

> ┌───┐
> │ **제4부   정리 60: 욕망의 자기이해** │
> │   │
> │ 몸의 전부가 아닌 어느 한 부분 또는 그 이상의 특정 부분에 │
> │ 관계되는 기쁨이나 슬픔에서 생기는 욕망은 몸 전체의 이익 │
> │ 을 고려하지 않는다. │
> └───┘

분석

이 정리는 우리의 일상적인 경험에 근거하여 생각해 보면 쉽게 이해할 수 있습니다. 어떤 이유에서 슬픔을 느낄 때, 우리는 매우 자연스럽게 이 감정으로부터 벗어나기 위해서 지금 느끼고 있는 슬픔을 부정함과 동시에 외부에서 기쁨을 구하려는 강한 욕망(충동)을 느끼게 됩니다. 예를 들면, 엄청난 식사를 하거나 감당할 수 없는 쇼핑을 할 수 있습니다. 심지어 마약 같은 약물에 손을 댈 수 있습니다. 그러나 이후에 어떤 일이 벌어집니까? 체중이 과하게 늘어나서 건강을 해칠 수 있으며, 소비 이후 찾아오는 카드 영수증으로 인해 빚에 시달리게 됩니다. 약물에 중독되어 자신의 직업과 소중한 사람들을 잃고, 끝내 자신의 생명마저 잃어버립니다.

이러한 비극을 두고 우리 스스로 생각해 볼 필요가 있습니다. 왜 이런 일이 발생하는 것일까요? 무엇보다도 욕망의 진실은 행복을 추구하는 것입니다. 슬픔을 느낀다는 것은 감정의 활동 및 유지에 관하여 심각한 감소 및 억제를 느낀다는 것이므로 욕망은 당연히 자신이 할 수 있는 한에서 최대의 노력을 기울임으로써 이 상황을 벗어나려 합니다. 여기에서 보면, 문제의 원인은 욕망에 있지 않습니다. 욕망은 자기 본성의 필연성을 따라서 자신이 할 수 있는 최선의 노력을 할 뿐입니다. 그럼에도 불구하고 우리에게 궁금한 것은 왜 노력의 결과가 전혀 의도하지 않은 비극이냐는 것입니다. 행복을 추구하는데 그 결과는 뜻밖에 불행입니다.

이 질문에 대한 대답이 바로 앞에서 살펴본 정리입니다.

정리 59: 감정의 자유

감정으로 하는 우리의 모든 행동은 감정의 자기이해를 결여한 감정의 수동적 인식에 의해서 결정되지만, 그러한 인식 없이도 얼마든지 우리는 감정의 자기이해를 추구하는 이성에 의해서 우리의 행동이 결정되도록 할 수 있다.

슬픔을 느낌과 동시에 슬픔으로 존재하는 감정(마음)이 자기(몸의 순간 변화로서 슬픔)의 본성을 이해하지 않으면, 그 즉시 감정은 자기가 아닌 다른 것에 의해서 자신이 결정되었다고 잘못 생각하게 됩니다. 이때 슬픔이 외부 원인 앞에서 자신의 무능력을 겪게 되면(자신을 슬픔으로 결정한 외부 원인을 파괴할 수 없다고 생각하면), 그 즉시 감정은 자신의 활동 능력을 증대시키는 기쁨을 느끼기 위해서 자신이 할 수 있는 모든 노력을 기울이게 됩니다. 일례로 음식을 감당할 수 없을 정도로 섭취한다거나 과도한 쇼핑을 위해 신용카드를 무분별하게 쓰는 것입니다. 왜냐하면 그런 행동은 슬픔의 감정이 자신의 슬픔을 제거하기 위해서 쉽게 할 수 있는 것이기 때문입니다.

그러나 우리는 위와 같이 감정의 자기이해를 결여함으로써 겪게 되는 비극으로서 감정에 예속된 행동과는 완전히 다른 방식으로 행동할 수 있습니다. "얼마든지 우리는 감정의 자기이해를 추구하는 이성에 의해서 우리의 행동이 결정되도록 할 수 있다."는 것이 그것입니다. 이말은 감정이 자기이해를 통해서 자기 존재의 진실을 영원무한의 필연성으로 인식하면, 그 즉시 감정은 자신을 존재 그 자체로 사랑할 뿐만 아니라 이 사랑(자기애) 안에서 자신의 행복을 위해 자신이 할수 있는 노력을 최대한 할 수 있게 된다는 것을 뜻합니다. 이것이 감정을 통제하는 유일한 방법입니다.

정리 14: 감정의 통제

감정을 통제하는 유일한 방법은 감정 스스로 선악(善惡)에 대한 참다운 인식을 형성함으로써 자신의 순수지선을 느끼는 것이며, 그렇기 때문에 감정 스스로 자신에 대한 올바른 이해와 동시에 자신의 순수지선을 느끼지 못하면 절대적으로 감정은 통제되지 않는다.

감정은 오직 자기이해를 통해서 자신과 세상 모든 감정의 진실을 순수지선으로 이해합니다. 이 이해에 근거하여 감정은 영원무한의 생명과 사랑으로 살아갑니다. 즉, 매순간 무한히 새로운 감정을 최고의 완전성 안에서 최고의 순수지선으로 배워서 이해합니다. 이것이 '감정의 통제'입니다. 이와 같이 감정의 자기이해 안에서 감정을 통제하면, 감정은 자신이 지금 느끼고 있는 슬픔의 감정을 부정하거나 또는 그것의 존재를 파괴하기 위한 목적으로 자기 밖에서 기쁨을 구하려는 행동을 하지 않습니다. 철두철미 자기이해 안에서 자기 존재의 필연성을 이해하며, 이 이해에 근거하여 자신을 사랑합니다.

이 사랑이 '자기만족'입니다. 슬픔으로 존재하는 감정이 자기 존재의 진실을 영원무한의 필연성으로 인식하면, 슬픔은 자기 존재 그 자체로 행복을 느낍니다. 슬픔의 감정이 불행의 원인이 아닙니다. 슬픔이 슬픔으로 존재하는 본성을 영원무한의 필연성으로 확인하면, 슬픔도 순수지선이며 신의 본성을 무한한 방식으로 표현하는 성스러운 감정 가운데 하나입니다. 슬픔이 이 사실을 명백하게 이해하면 슬픔의 욕망은 자신을 떠나서 행복을 구하지 않으며 자기 존재 안에서 자신의 행복을 누립니다. 즉, 자기 존재의 필연성을 이해합니다. 이 이해가 분명하면 과식이나 과소비 또는 약물중독 같은 행동을 결정하지 않습니다. 이것만으로도 이미 슬픔은 행복으로 존재합니다.

그러므로 감정의 자기이해는 자기만족 또는 자기사랑입니다. 이 만족과 사랑 안에서 감정은 자기 존재 그 자체만으로 최고의 완전성 안에서 최고의 행복을 느낍니다. 이 사실이 분명할 때, 감정은 비로소 자기 행복을 위해서 자신이 할 수 있는 모든 노력을 할 수 있습니다. 그리고 이 노력은 절대적으로 감정을 비극으로 끌고 가지 않습니다. 자기만족 또는 자기사랑으로 존재하는 감정은 자기 밖에서 행복을 구하는 것이 아니라 자기 안에서 이미 최고의 행복을 누리기 때문에 이 행복에 기초하여 자신의 행복을 보다 더 크게 합니다. 자기를 향한 생명과 사랑 안에서 자신의 생명과 사랑을 보다 더 크게 합니다. 따라서 이 행복을 위한 방법은 욕망 자신의 이성에 있습니다.

정리 52: 감정의 자기만족

감정의 자기만족은 자기이해를 추구하는 감정의 이성에서 나오며, 오직 이것만이 최고의 만족으로 존재한다.

┌───┐
│ ═══ **제4부   정리 61: 욕망의 이성** ═══   │
│   │
│ 자기이해를 추구하는 감정의 이성에서 생기는 욕망은 과도할   │
│ 수 없다.   │
└───┘

분석

감정은 자기이해를 통해서 영원무한의 필연성을 이해하고 오직
이 이해만을 따라서 살아갑니다. 영원무한의 필연성은 감각적으로 지
각되는 정도나 양의 개념이 절대 아닙니다. 감정의 존재 그 자체에
고유한 본성이며, 우리가 이 본성에 대한 명백한 인식을 형성하는
한에서 감정으로 살아가며 욕망하는 것은 영원무한의 필연성으로 감
정의 본성을 이해하고 감정의 순수지선을 느끼는 것입니다. 따라서
자기이해를 추구하는 감정의 이성에서 생기는 욕망은 과도할 수 없
습니다.

『감정의 예속과 자유』

감정(마음)이 자기이해를 추구하는 이성의 명령에 순응함으로써 모든 감정에 고유한 본성을 이해하는 한에서 감정은 자신이 이해하는 감정을 과거-현재-미래로 구분하지 않으며 동일하게 느낀다.

분석

감정의 자기이해는 감정에 고유한 본성으로서 영원무한의 필연성을 명백하게 인식하는 것입니다. 이 인식 안에서 무한한 방식으로 무한하게 새로운 감정을 감각적 현상이 아닌 영원무한의 필연성으로 이해합니다. 감정의 무한성은 지금 내가 느끼고 있는 감정을 기준으로 과거의 감정일 수 있고 앞으로 느끼게 될 미래의 감정일 수 있습니다. 그러나 감정은 엄격히 말해서 공간과 시간에 의해서 존재하도록 결정되는 것이 아니라 자기 본성에 고유한 영원무한의 필연성에 의해서 존재하도록 결정됩니다.

감정의 과거-현재-미래에 상관없이 감정은 자기 존재에 관한 한 자기 본성의 필연성을 따릅니다. 아주 간단한 예로 어떤 감정을 과거 어느 공간과 시간으로 기억한다고 해도 그것만으로는 과거의 감정을 이해할 수 없습니다. 과거에 존재하는 감정이라도 우리가 그것을 이해하기 위해서는 그에 고유한 본성으로서 영원무한의 필연성을 인식해야 그 감정을 이해할 수 있습니다. 지금 현재의 감정 및 미래를 향한 감정을 이해하는 것도 이 방식을 벗어날 수 없습니다. 감정은 과거-현재-미래의 공간과 시간으로 존재하는 것이 아니라 자기 본성의 필연성으로 존재합니다.

'이성'은 감정이 자기이해 안에서 자기 존재의 진실을 영원무한의 필연성으로 인식하는 것입니다. 감정에 고유한 정신의 진실이며, 행복을 추구하는 감정의 욕망에 고유한 진실입니다. 이것을 '덕'(德)으로 정의합니다. 감정이 자신의 덕으로 자신을 비롯해서 자연의 모든 감정을 영원무한의 필연성으로 인식하는 한에서 감정은 '과거-현재-미래'라는 공간과 시간의 양태에 의존하여 감정을 이해하지 않습니다. 오히려 그 반대입니다. 자연의 모든 감정을 과거-현재-미래로 분류한다고 하여도, 그 모든 감정은 자기 존재에 관하여 절대적으로 자기 본성의 필연성인 영원무한으로 존재합니다.

그러므로 감정이 자기이해를 추구하는 이성으로 모든 감정을 이해하는 한에서 감정은 과거-현재-미래의 모든 감정을 영원무한의 필연성으로 이해하며 느낍니다. 이 지점에서 감정의 자기이해가 사실상 신의 자기이해와 본질적으로 일치한다는 사실이 증명됩니다. 왜냐하면 신은 자기 본성인 영원무한의 필연성만으로 자신이 산출하는 모든 것을 이해하기 때문입니다. 신이 자기 본성 아닌 공간과 시간의 구체적인 양태로서 '과거-현재-미래'에 의존하여 자신 및 자신이 산출하는 것을 이해한다는 것은 신의 불완전 또는 예속을 증명하기 때문에 터무니없는 것입니다.

참고로 이 정리에 대한 스피노자의 증명을 확인할 필요가 있습니다.

정신은 이성의 지도에 따라서 파악하는 모든 것을 동일하게 영원의 상
(像)이나 필연의 상 아래에서 파악하며 또한 그것에 대하여 동일하게 자극된
다. 그러므로 관념이 미래의 사물에 관한 것이든, 과거의 사물에 관한 것이
든 또는 현재의 사물에 관한 것이든 간에 정신은 똑같은 필연성을 가지고
사물을 파악하며 또한 똑같은 확실성으로 자극된다.

_스피노자 『에티카』, 제4부 정리 62, 증명.
/강영계 번역(p.304.).

이 증명에서 스피노자가 이해하는 '이성'을 '감정의 자기이해'로
확인할 수 있습니다. 감정의 자기이해는 감정 스스로 모든 감정에
고유한 본성으로서 영원무한의 필연성을 인식하는 것입니다. 스피노
자는 "정신은 이성의 지도에 따라서 파악하는 모든 것을 동일하게 영원의
상(像)이나 필연의 상 아래에서 파악하며"라고 말했습니다.

> ### 제4부 정리 63: 참다운 선행(善行)
>
> 감정이 두려움에 의해서 선으로 인도되거나 악을 회피하기
> 위하여 선을 행하고 있다면, 이 감정은 자기이해를 추구하는
> 이성에 의해서 인도되는 것이 아니다.

분석

감정은 자기이해를 통해서 자기 존재 및 세상 모든 감정의 존재
를 순수지선으로 이해합니다. 이 이해가 선(善)을 행하는 것입니다.
감정의 자기이해가 '선행'(善行)입니다. 왜냐하면 감정의 자기이해가
아니면 감정의 순수지선을 이해할 수 없기 때문입니다. 모든 감정이
존재 그 자체로 영원무한의 필연성 안에서 순수지선으로 생겨나고
놀이하도록 결정되어 있다는 사실을 분명하게 인식하는 것 이상으로
감정을 위해서 우리가 할 수 있는 선행이 없습니다. 이 인식만이 모
든 감정을 생명과 사랑으로 안아줍니다. 따라서 감정의 자기이해가
아닌 두려움을 느끼는 공포나 악을 회피하려는 목적에 의해서 선행
을 하고 있다면, 그것은 이성에 의해서 인도되는 것이 아닙니다.

> ───── 제4부　정리 64: 다 좋은 감정 ─────
>
> 우리가 감정 가운데 악(惡)으로 존재하는 감정이 있다고 이해
> 하고 있다면, 이 인식은 타당하지 못한 인식이다.

분석

감정의 자기이해에 근거하여 감정의 존재는 영원무한의 필연성으
로 순수지선입니다. 스피노자의 다음과 같은 보충을 참고합시다.

만일 인간의 정신이 타당한 관념만을 가진다고 한다면, 아무런 악의 개
념도 형성되지 않을 것이다.

_스피노자 『에티카』, 제4부 정리 64, 보충.
/강영계 번역(p.306.).

신은 최고선으로 존재하기 때문에 자신이 산출하는 모든 것을 최
고선으로 낳아주며 오직 이 사실에 근거하여 이해합니다. 쉽게 말해
서, 신의 감정은 순수지선으로 존재하기 때문에 자신이 산출하는 모
든 감정을 순수지선으로 낳아주며 오직 이 사실에 근거하여 이해합
니다. 따라서 우리가 무한한 방식으로 무한하게 느끼거나 경험하는
모든 감정에 나아가 그에 고유한 본성으로서 '신'(영원무한의 필연성)
의 존재를 이해하면, '다 좋은 감정'은 밤하늘 보름달처럼 환합니다.

┌───┐
│ **제4부   정리 65: 감정의 이성적 욕망** │
│   │
│ 자기이해를 추구하는 감정의 이성은 두 개의 선(善) 가운데 │
│ 더 큰 것을, 그리고 두 개의 악(惡) 가운데 더 작은 것을 욕 │
│ 망한다. │
└───┘

분석

이 정리는 「정리 43」에서 이미 다루었습니다.

정리 43: 고통의 아름다움

흥분은 지나칠 수 있으며 그렇기 때문에 악(惡)일 수 있다. 그러나 흥분이 악(惡)인 한에서 그것의 지나침을 막는 고통은 선(善)일 수 있다.

우리는 이 두 개의 정리를 통해서 감정의 자기이해로 살아간다는 것이 구체적으로 무엇인지 알 수 있습니다. 감정이 자기이해에 기초하여 순수지선으로 살아간다는 것은 두 개의 선(善) 가운데 더 큰 것을 그리고 두 개의 악(惡) 가운데 더 작은 것을 욕망하는 것입니다. 그렇기 때문에 감정의 자기이해로 살아가는 것은 그 어떤 이유에서도 감각적 현상으로 해석되어서는 안 됩니다. 자기이해의 진실 안에서 끊임없이 묻고 배우며, 그렇게 해서 정립한 자기이해의 자명함으로 살아가는 것입니다.

그러므로 이 정리는 우리에게 어떤 행동이나 사건을 감각적 현상에 의존하여 판단하는 것이 얼마나 타당하지 못한 인식인지 가르쳐 줍니다. 감각적 현상만으로 보면, 어떤 행위는 악(惡)일 수 있습니다. 그러나 그 행위는 얼마든지 감정의 자기이해를 따르는 순수지선일 수 있습니다. 따라서 중요한 것은 감각적 현상에 의존하여 해석하는 것이 아니라 감각적 현상에 나아가 그에 고유한 본성의 필연성을 명백하게 이해하는 것입니다.

　　참고로 쉬운 이해를 위해 고대 중국의 춘추 시대에 등장하는 '신생'(申生)의 이야기를 예로 들 수 있습니다. 신생은 새어머니의 모함으로 인해 아버지로부터 죽임을 당할 처지에 놓였습니다. 이 상황에서 신생이 새어머니의 모함을 아버지께 밝히면 새어머니가 죽게 되며, 그렇지 않으면 끝내 아버지는 자식을 죽인 매정한 사람으로 기록됩니다. 다른 한편으로 살기 위해 다른 나라로 망명을 떠나면 새어머니의 모함은 진실이 됩니다. 이 모든 생각 끝에 신생은 자살을 결심하고 실행에 옮깁니다. 신생의 자살은 겉으로 보기에 수동적 감정에 예속된 수동적 행동입니다. 그러나 감정과학에 의하면 신생의 자살은 두 개의 악(惡) 가운데 더 작은 것을 욕망하는 이성입니다.

┌───┐
│ ══ **제4부   정리 66: 노예인과 자유인** ══
│
│ 자기이해를 추구하는 감정의 이성은 지금의 더 작은 선(善)
│ 보다는 미래의 더 큰 선(善)을, 그리고 미래의 더 큰 악(惡)
│ 보다는 지금의 더 작은 악(惡)을 욕구할 것이다.
└───┘

분석

이 정리는 바로 앞의 정리에 근거하여 쉽게 이해할 수 있습니다. 다시 강조하지만, 중요한 것은 겉모습이 선(善)을 욕구한다고 해서 그것이 곧 이성은 아니며, 마찬가지로 악(惡)을 욕구한다고 해서 그 것이 곧 이성을 어기는 것은 아니라는 뜻입니다. 감정이 자기이해로 살아가는 것이 가장 중요합니다. 감정의 자기이해에 기초하여 전개되는 삶의 모습은 영원무한의 필연성으로 다 좋은 순수지선입니다. 따라서 모든 감정에 고유한 그 자체의 본성으로서 영원무한의 필연성을 묻고 배우며 이해하고 살아가는 것이 행복의 유일한 방법입니다.

이 행복에 관하여 스피노자의 주석을 참고할 필요가 있습니다.

오직 정서나 속견에만 인도되는 인간과 이성에 인도되는 인간과의 사이에 어떤 차이가 있는지 쉽게 알 수 있을 것이다. 왜냐하면 전자는 자신이 원하든 원하지 않든 간에 자신이 전혀 모르고 있는 것을 행하지만, 후자는 자기 이외 어떤 사람에게도 따르지 않고 그가 인생에서 가장 중요하다고 아는 것, 그러므로 자기가 가장 욕구하는 것만을 행하기 때문이다. 그러므로 나는 전자를 노예라고 하고 후자를 자유인이라고 부른다.

_스피노자 『에티카』, 제4부 정리 66, 주석.

/강영계 번역(p.308.).

　　'노예인'이란 정치학이나 경제학에 국한된 주제가 아닙니다. 엄밀히 말해서 감정으로 존재하는 우리가 감정에 대한 참다운 인식을 결여한 채 외부 원인에 의해서 자기 존재가 결정되었다는 착각 속에 자신을 가두는 것이 '노예'입니다. 이러한 맥락에서 우리가 노예로 전락한다는 것은 우리 스스로 우리 자신을 노예화하는 것에서 기인합니다. 이 노예가 노예로서 자신의 존재를 유지하기 위하여 또 다른 노예를 끊임없이 만들려는 헛된 망상에 몰입할 때, 정치경제의 관점에서 바라보는 노예 계급 사회가 발생합니다. 그러므로 감정의 자기이해로 살아가는 자유인만이 노예에 몰입한 정신의 비극을 진정으로 자유롭게 합니다.

감정의 자기이해로 살아가는 자유인은 죽음을 생각하지 않으며, 그의 지혜는 죽음이 아닌 오직 삶에 대한 명상이다.

분석

감정의 자기이해는 감정 스스로 자기 존재에 고유한 본성을 영원무한의 필연성으로 이해하는 것입니다. 무한한 방식으로 무한한 감정은 절대적으로 영원무한의 필연성 안에서 영원무한의 생명과 사랑으로 생겨나고 놀이하도록 영원무한의 필연성에 의해서 결정되어 있습니다. 그러므로 감정의 자기이해로 살아가는 자유인은 죽음을 생각하지 않으며, 그의 지혜는 죽음이 아닌 오직 삶에 대한 명상입니다.

만약 감정이 자유롭게 태어났다면, 감정은 자신의 자유를 즐길 뿐 그 어떤 선악(善惡)에 대한 개념을 형성하지 않을 것이다.

분석

감정은 자연 안에서 무한한 방식으로 무한하게 생겨나며 동시에 무한한 방식으로 무한하게 교차합니다. 이것을 '감정의 유한성'([제1부] 「정의 2」)이라 합니다. 감정은 애초부터 자유롭게 태어날 수 없습니다. 또한 이 사실은 감정이 신의 감정에 의해서 존재하도록 결정되었다는 것으로 분명합니다. 신은 몸과 마음으로 존재합니다. 왜냐하면 지금 우리가 몸과 마음으로 존재하기 때문입니다. 우리에게 몸이 존재한다는 자명한 사실에 근거하여 우리 몸을 낳는 '원인의 몸'이 존재한다는 것은 영원무한의 필연성으로 분명합니다. 마음도 같은 방식입니다. 영원무한의 필연성으로 존재하는 몸과 마음이 신의 몸과 마음입니다.

그런데 신의 존재를 실질적으로 구성하는 몸과 마음, 이 둘의 관계는 자기원인 안에서 항상 함께 합니다. 신의 몸이 순간 변화하면, 신의 마음은 그와 동시에 몸의 순간 변화에 대한 개념을 형성합니다. 서로 다른 몸과 마음이 몸의 순간 변화 안에서 본래 하나입니다. 이것을 '감정'으로 정의합니다. 우리가 신을 몸과 마음으로 존재하는 단 하나의 실체로 이해하는 한에서, 이 정의로부터 신은 감정으로 존재합니다. 바로 이 지점에서 우리는 오직 신의 감정만이 자유로 존재한다는 것을 알 수 있습니다. 왜냐하면 신의 감정은 영원무한의 필연성 그 자체이며 자기 존재의 필연성을 자기 안에서 최고의 완전성으로 이해하기 때문입니다.

이 사실로부터 신은 자기 존재를 배워서 이해할 필요가 전혀 없습니다. 같은 맥락에서 감정으로 존재하는 신은 자기의 감정에 고유한 본성의 필연성을 배워서 이해할 필요가 전혀 없습니다. 왜냐하면 신의 존재 자체가 신의 자기이해이며, 따라서 신의 감정 자체가 신의 자기이해이기 때문입니다. 이 결론에 근거하여 다시 생각해 보면, 신은 자기 존재뿐만 아니라 자기 스스로 자기 존재의 본성에 근거하여 자신이 산출할 수 있는 모든 것에 대해서도 배워서 이해할 필요가 전혀 없습니다. 즉, 감정으로 존재하는 신은 자신이 산출하는 무한한 감정에 대해서 배워서 이해할 필요가 전혀 없습니다. 신은 영원무한의 필연성으로 자신이 산출할 수 있는 감정을 자신의 무한한 지성으로 본래부터 알고 있습니다.

감정으로 존재하는 신은 영원무한의 필연성 그 자체이며, 이 본성에 근거하여 무한한 감정을 산출합니다. 그런데 영원무한의 필연성은 오직 자기 본성의 필연성인 영원무한의 필연성에 근거하여 오직 영원무한의 필연성만을 산출합니다. 이 사실로부터 신의 감정에 의해서 존재하는 모든 감정은 영원무한의 필연성을 본성으로 갖습니다. 따라서 다음과 같은 결론은 필연적입니다.

자연의 모든 감정은 본래부터 신의 감정 안에서 영원무한의 필연성으로 생겨났으며, 그러한 한에서 모든 감정은 자유롭게 태어났다. 왜냐하면 영원무한의 필연성 안에서 영원무한의 필연성으로 생겨나고 놀이하도록 결정되어 있기 때문이다.

그런데 이 결론은 스피노자가 말한 "만약 감정이 자유롭게 태어났다면, 감정은 자신의 자유를 즐길 뿐 그 어떤 선악(善惡)에 대한 개념을 형성하지 않을 것이다."라는 것과 서로 어긋나는 것 같습니다. 이 문제를 해결하는 방법은 감정의 수설(竪說)과 횡설(橫說)입니다. 지금까지 전개된 논의는 감정의 수설입니다. 한편, 방금 전에 제시한 스피노자의 정리는 엄격히 말해서 감정의 횡설입니다. '감정의 유한성'에 근거합니다. 이 지점에서 우리가 다시 생각을 해보면, 우리의 생김 그 자체의 진실은 감정의 수설이지만, 현실적으로 존재하는 우리 자신은 감정의 횡설입니다. 신의 감정으로부터 무한히 생겨나는 감정 가운데 하나입니다.

우리가 이 논점을 잘 이해하면, 다음과 같은 결론이 나옵니다.

감정의 횡설에 보면 우리는 자유롭게 생겨난(태어난) **것은 아니지만**(왜냐하면 지금 우리가 현실적으로 느끼는 감정은 신의 감정에 의해서 생겨나는 무한한 감정 가운데 하나이므로.), **감정의 수설에서 보면 우리는 철두철미 신의 본성 그 자체인 자기원인 또는 자유이다**(왜냐하면 현실적으로 존재하는 나의 감정에 나아가 그에 고유한 본성을 이해하면 영원무한의 필연성이 분명하므로.).

이 주제를 쉽게 이해하는 방법은 종이와 연필을 준비해서 삼각형을 그려보는 것입니다. 이때 모든 삼각형은 삼각형에 고유한 본성인 '세 개의 내각 그리고 그 총합은 180도'를 영원무한의 필연성을 갖지만, 어느 한 삼각형이 자신만이 삼각형의 본성(神)에 의해서 존재하도록 결정되었다고 주장하면 안 됩니다. 만약, 삼각형의 본성(神)으로부터 오직 '삼각형 A'만이 존재하도록 결정되었다면, 그 삼각형은 횡설에서도 자유롭게 태어났다고 말할 수 있습니다. 왜냐하면 자연 안에는 오직 삼각형 A 하나만 존재할 것이기 때문입니다.

이 주제는 매우 어렵기 때문에 좀 더 설명할 필요가 있습니다. 삼각형의 본성(神)으로부터 오직 삼각형 A만이 존재하도록 결정되었다면, 자연 안에는 오직 삼각형 A만 존재할 것이므로 그러한 한에서 삼각형 A는 절대적으로 유한성에 갇히지 않습니다. 그런데 유한성에 절대적으로 갇히지 않는 것은 단 하나의 실체로 존재하는 신입니다. 그렇기 때문에 자연 안에 오직 삼각형 A만이 존재한다는 것은(즉, 감정이 자유롭게 태어났다고 주장하는 것은)은 두 가지 이유에서 터무니없는 것입니다.

① 삼각형 A가 자유롭게 태어났다고 긍정하면, 단 하나의 실체로서 삼각형의 본성(神도/ 실체)과 함께 이것으로부터 생겨난 삼각형 A도 실체라는 결론이 나옵니다. 그러나 실체는 단 하나입니다. 따라서 삼각형 본성은 삼각형 A 이외 무한한 방식으로 무한하게 삼각형을 산출합니다.

② 자연 안에 오직 삼각형 A만 존재한다고 하면, 그 즉시 삼각형의 본성은 유한한 것이 됩니다. 왜냐하면 삼각형의 본성으로부터 삼각형 A만 산출된다고 가정하면 이 본성은 삼각형의 본성으로부터 무한한

삼각형을 산출할 때 보다 유한하며 그만큼 자신의 활동 능력이 극히 감소되기 때문입니다. 그러나 우리의 경험을 통해서 알 수 있듯이 삼각형의 본성으로부터 무한한 삼각형이 무한하게 생겨난다는 것은 자명합니다. 따라서 이 가정은 모순입니다.

위의 두 가지 이유에 입각하여, 감정을 생김 그 자체에 고유한 본성으로서 수설(竪說)이 아닌 횡설(橫說)에서 보면, 감정은 자유롭게 태어난 것이 아닙니다. 이제 중요한 것은 횡설 안에서 무한한 방식으로 무한하게 존재하는 유한한 감정이 자신에 대해서 올바르게 이해하는 것입니다.

감정이 자유롭지 않게 태어났다고 해서 자신을 자유롭지 않은 것으로 이해하면, 그 즉시 감정은 자기 존재의 진실로서 영원무한의 필연성 또는 순수지선을 절대적으로 알 수 없게 됩니다. 자기는 본래부터 신의 본성 그 자체인 영원무한의 필연성 안에 존재하며, 그러한 한에서 영원무한의 필연성을 자기 존재에 고유한 본성으로 갖습니다. 감정의 생김 그 자체의 진실은 절대적인 자유이나, 생김의 결과만을 보면 감정은 자유롭지 않습니다. 그렇기 때문에 감정이 자기 존재에 고유한 진실을 배워서 이해하지 않고, 오히려 자신과 교차하는 무한한 감정에 의해서 자신의 존재와 활동이 결정되었다고 착각한다면, 이 이상의 비극은 없습니다.

이 비극으로부터 감정은 자기 안에 본래부터 존재하는 신적 본성의 필연성, 즉 자신의 본래 자유를 상실합니다. 엄격히 말해서 자기 스스로 절대적인 자유로 존재하고 있음에도 불구하고 자신에게 자유가 없다고 착각함과 동시에 자기 밖에서 자유를 구걸하는 것입니다.

그러나 이 감정이 자신의 비극 한 가운데에서 다시 자기 존재에 고유한 진실을 배워서 이해하면, 마침내 감정은 선악(善惡)에 대한 개념을 형성합니다. 선(善)은 감정 스스로 자기이해 안에서 자기 본성의 필연성으로 존재하는 신(영원무한의 필연성)을 이해하는 것입니다. 반면, 악(惡)은 감정이 자기이해를 형성하는 자기 정신의 덕(德)을 버려두고 외부 원인에 자신의 존재와 활동을 예속시키는 것입니다.

선악(善惡)을 감정의 자기 인식에 관한 옳고 그름으로 확인하고 나면, 이 개념은 보다 더 확장됩니다. 감정은 자기이해를 통해서 자기 존재를 영원무한의 필연성 안에서 순수지선으로 이해합니다. 이 이해가 분명한 감정은 자신과 교차하는 감정을 자기이해와 같은 방식으로 이해합니다. 즉, 모든 감정을 존재 자체에 고유한 본성으로 이해하며, 그것으로 모든 감정의 순수지선을 이해합니다. 반면, 감정 스스로 자기 존재의 순수지선을 모르는 악(惡)으로 존재하면, 이 감정은 자신과 교차하는 모든 감정을 악(惡)으로 이해합니다. 모든 감정의 순수지선을 이해할 수 없게 됩니다. 따라서 감정의 자기이해는 필연적으로 선이지만, 이 이해가 아닌 것은 필연적으로 악입니다.

그러므로 우리는 지금까지 전개한 논의에 근거하여 「정리 68」을 다음과 같이 이해할 수 있습니다.

감정으로 태어나서 감정으로 살아가는 우리가 우리 자신의 감정을 비롯해서 우리와 무한히 교차하는 무한한 감정을 그 자체에 고유한 본성으로 이해하는 한에서, 우리는 영원무한의 필연성에 대한 인식을 무한히 증대시켜 갈 수 있기 때문에 이에 비례하여 우리는 최고의 완전성 안에서 최고의 행복이 최고로 커지는 삶의 축복을 누릴 수 있게 됩니다.

우리는 자유롭지 않게 태어났지만, 오히려 그 덕분에 우리는 최고의 자유를 영원무한으로 즐길 수 있는 신의 축복을 누리게 됩니다. 유한성 안에서 감정은 서로를 제한하며 그러한 한에서 감정은 자유롭지 않지만, 그 안에서 감정이 자신과 자신이 교차하는 모든 감정을 자기이해의 필연성으로 이해하면, 뜻밖에 신의 자유를 즐기게 됩니다.

신은 엄격히 말해서 배우는 즐거움을 누릴 수 없습니다. 신에 의해서 태어난 우리가 배우는 즐거움을 누리게 됩니다. 그러므로 신도 자신을 배우는 즐거움을 누리기 위해서 지금 우리가 느끼는 감정을 낳아주었다는 결론이 영원의 필연성으로 확인됩니다.

> ⸻ **제4부 정리 69: 오직 생명과 사랑** ⸻
>
> 감정의 자기이해로 살아가는 자유인의 덕(德)은 위험의 회피
> 와 극복에서 위대한 것으로 확인된다.

분석

'자유'는 영원무한의 필연성에 대한 명백한 인식이며 동시에 영원
무한의 필연성만으로 살아가는 용기입니다. 이 자유는 감정이 자기이
해를 통해서 세상 모든 감정의 순수지선을 배우며 살아가는 감정의
덕(德)이며 감정의 이성적 욕망입니다. 그리고 이 인식과 용기는 실
질적으로 영원무한의 생명과 사랑을 향하기 때문에 오직 이 진실만
을 따라서 사는 것이 참된 자유입니다. 그러므로 우리는 스피노자의
보충을 쉽게 이해할 수 있습니다.

그러므로 자유로운 인간에게 적절한 시기의 도피는 전투에서와 마찬가지
로 커다란 정신의 강함으로 여겨진다. 즉 자유로운 인간은 전투를 택할 때
와 같은 정신의 강함에 의하여 또는 정신의 결단에 의하여 도피를 택한다.

_스피노자 『에티카』, 제4부 정리 69, 보충.
/강영계 번역(p.310.).

자유인은 영원무한의 생명과 사랑으로 살아가기 때문에 오직 이
원칙에 근거하여 '전투'와 '도피'를 결정합니다. 전쟁을 하게 된다면

오직 생명과 사랑 안에서 전쟁을 하며, 반대로 생명과 사랑을 위해서 도피가 필요하면 그것을 택합니다. 전쟁을 하는 것만이 용기나 용맹이 아니라 오히려 도피를 선택하는 것도 용기라는 뜻입니다. 왜냐하면 영원무한의 필연성에 근거하여 도피를 욕망하기 때문입니다. 그러므로 우리는 감정의 자기이해가 행복을 위한 유일한 방법이라는 것을 이해할 수 있습니다.

> 감정의 자기이해로 살아가는 자유인은 이 이해에 무지한 사람들과 함께 살아감에 있어서 그들이 베푸는 호의를 가능한 피하려고 노력한다.

분석

감정의 자기이해로 살아가는 자유인의 삶은 다음과 같습니다.

자유로운 인간은 다른 사람들과 우정으로 연결되는 데는 힘쓰지만 그들의 정서에 따라서 그들에게 똑같은 친절을 그가 베풀 것을 기대하는 그러한 친절을 보답하려고 애쓰지 않고, 오히려 자신과 다른 사람들을 자유로운 이성의 판단에 의하여 인도하고자 하며 자신이 가장 중요하다고 인식하는 것만을 행하려고 애쓴다.

_스피노자 『에티카』, 제4부 정리 70, 주석.
/강영계 번역(p.311.).

퇴계 이황은 이렇게 살아가는 자유인을 '성인'(聖人)으로 정의합니다. 성스러운 사람이 따로 없습니다. 매순간 새롭게 느끼는 자기의 감정 및 자기가 경험하는 모든 감정을 감각적 현상이 아닌 그 자체에 고유한 본성으로서 영원무한의 필연성을 배워서 이해하는 사람이 성스러운 사람입니다. 이 사람은 자신과 세상을 순수지선으로 이해하기 때문에 자기이해 자체로 영원무한의 생명과 사랑을 증명합니다. 이 진실을 향한 배움이 스피노자의 윤리학(Ethica)이며 퇴계의 성학(聖學)입니다.

제4부   정리 71: 서로에게 감사하는 삶

감정의 자기이해로 살아가는 자유인만이 서로에게 진실로 감사한다.

분석

감정으로 존재하는 내가 감정으로 존재하는 다른 사람과 교차할 때, 감정의 진실을 순수지선으로 이해함으로써 감정의 교차를 순수지선으로 이해하며 느끼면 어떤 세상을 살아가게 될까요? 우리 모두는 서로의 감정에 대해서 함부로 하지 않고, 감정에 대해서 열심히 묻고 배움으로써 그것의 순수지선을 느끼는 세상을 살아가게 됩니다. 사실상 신의 존재가 따로 없습니다. 우리 자신의 감정을 비롯해서 세상 모든 감정을 영원무한의 필연성으로 이해하면, 그 즉시 지금 우리의 감정이 신의 존재를 증명하는 성스러운 것임을 깨닫습니다. 감정의 자기이해로 살아가는 자유인만이 서로에게 '진실로' 감사할 수 있는 이유입니다. 나에게 너의 감정은 신의 존재이며, 마찬가지로 너에게 나의 감정도 신의 존재입니다. 이렇게 서로를 이해하면 서로에게 감사를 느끼게 됩니다. 이렇게 배워서 이해하는 사랑을 퇴계 선생님은 '고맙습니다.'를 뜻하는 '경'(敬)으로 요약했습니다.

제4부 정리 72: 자유인의 아름다움

감정의 자기이해로 살아가는 자유인은 절대적으로 거짓을 행하지 않으며 언제나 순수지선의 믿음으로 행동한다.

분석

감정의 자기이해로 살아가는 자유인의 아름다움입니다. 이와 관련하여 스피노자의 주석을 살펴보겠습니다.

다음과 같은 물음이 제기될지도 모른다. 만일 인간이 신념을 버림으로써 현재 죽음의 위험에서 해방된다면 어떻게 할 것인가? 자신의 유를 보존하려는 이성은 무조건 신념을 버리라고 권할 것이 아닌가? 이에 대해서는 다음과 같은 방식으로 대답하겠다. 즉 만일 이성이 그것을 권한다면 이성은 그것을 모든 사람들에게 권한다. 그러므로 이성은 절대적으로 사람들에게 오직 간사하게 계약을 맺고 힘을 결합하며 고통의 법을 갖기를, 즉 실제로 공통의 법을 갖지 않기를 권한다. 이것은 불합리하다.

_스피노자 『에티카』, 제4부 정리 72, 주석.
/강영계 번역(p.313.).

감정의 욕망에 고유한 이성은 감정의 자기이해를 정립하고 오직 그 이해만을 따라서 살아가는 것입니다. 왜냐하면 이 삶이 자기 존재를 영원무한의 생명과 사랑으로 확인하는 유일한 방법이기 때문입니다. 이 진실에 입각하여 질문의 답을 구할 수 있습니다. 감정에게 자기이해를 부정함으로써 지금 당장 죽음을 모면할 수 있다고 한다면, 감정은 기꺼이 죽음으로써 자기이해를 욕망합니다. 이것이 순수 지선의 믿음입니다. 왜냐하면 앞에서 밝힌 바와 같이 오직 자기이해만이 자기 생명과 사랑을 영원무한으로 보증하기 때문입니다. 예수 선생님도 이렇게 살았고, 보이티우스 선생님도 이렇게 살았습니다.

제4부　정리 73: 함께 묻고 배우는 천국

> 감정의 자기이해를 추구하는 이성으로 살아가는 사람은 오직
> 자기에게만 복종하는 고독 보다는 법체계를 따르며 살아가는
> 국가에서 더욱 자유롭다.

분석

감정의 자기이해는 감정 자신만을 배워서 이해하는 것 보다는 감정의 무한교차를 통해서 자기이해의 완전성을 보다 더 크게 할 수 있습니다. 이 이유로 감정의 자기이해를 추구하는 이성으로 살아가는 사람은 오직 자기에게만 복종하는 고독 보다는 법체계를 따르며 살아가는 국가에서 더욱 자유롭습니다. 국가 안에서 자신과 다른 무한한 감정과 교차함으로써 그 모든 감정을 순수지선으로 배워서 이해하는 것이 자기의 감정만을 순수지선으로 이해하는 것 보다 더 큰 자유를 누리는 행복입니다. 그렇기 때문에 욕망의 이성은 홀로 사는 것 보다 국가 안에서 무한한 감정들과 교차하는 것을 행복으로 추구합니다. 이러한 논리로 국제 관계를 배우면, 그것이 곧 다 좋은 세상을 최고의 완전성으로 이해하며 느끼는 '천하평'(天下平)입니다.

끝으로 스피노자의 주석을 살펴보겠습니다.

정신이 강한 사람은 모든 것이 신적 본성의 필연성에서 생긴다는 사실

을 특히 염두에 두며, 따라서 그가 불쾌하고 악하다고 생각하는 모든 것과 불경스럽고 혐오스럽거나 옳지 않고 수치스럽게 보이는 것은 사물 자체를 전도되고 훼손되게 그리고 혼란스럽게 생각하는 데에서 생긴다는 것을 염두에 둔다. 그러므로 그는 무엇보다도 먼저 사물을 있는 그대로 파악하려고 노력하며, 참다운 인식의 장애들, 즉 미움, 분노, 질투, 조롱, 오만과 우리들이 앞에서 주의한 여러 가지를 제거하려고 노력한다. 그러므로 그는 우리들이 이미 말한 것처럼 가능한 한 선하게 행동하며 즐거워하려고 하는 일에 노력한다.

_스피노자 『에티카』, 제4부 정리 73, 주석.
/강영계 번역(p.314.).

　　영원무한의 필연성을 향한 명석판명의 이해 안에서 영원무한의 필연성을 향한 믿음으로 영원무한의 필연성을 묻고 배우는 학문이 스피노자의 윤리학이며 이에 기초한 감정과학입니다. 우리가 이 학문을 연마하는 한에서 우리는 자기이해의 진실 안에서 세상 모든 것을 믿고 배웁니다. 그렇기 때문에 우리 모두가 이 배움을 함께 연마하면 할수록 서로 교차하는 가운데 서로를 묻고 배우는 것이 얼마나 성스러운 축복인지 깨닫게 됩니다. 그러므로 '신'이 살아가는 천국이 따로 없습니다. 감정의 자기이해 안에서 자기와 무한히 다른 감정에 대해서 묻고 배우는 감정 세상이 신이 거하는 나라 '천국' 또는 '신국'입니다.